VIVRE SA PLEINE CONSCIENCE

LES ÉDITIONS LA SEMAINE
Charron Éditeur inc.
Une société de Québecor Média
1055, boul. René-Lévesque Est, bureau 205
Montréal (Québec) H2L 4S5
www.editions-lasemaine.com

Directrice des éditions : Annie Tonneau
Coordonnateur aux éditions : Jean-François Gosselin
Réviseures-correctrices : Monique Lepage, Ann Lamontagne, Audrey Faille
Couverture : Stéphane Jutras de Jutras Design
Infographie : Echo international

Les propos contenus dans ce livre ne reflètent pas forcément l'opinion de la maison d'édition.

L'éditeur bénéficie du soutien de la Société de développement des entreprises culturelles du Québec (SODEC) pour son programme d'édition.

Nous reconnaissons l'aide financière du gouvernement du Canada par l'entremise du Fonds du livre du Canada pour nos activités d'édition.

REMERCIEMENTS
Gouvernement du Québec (Québec) — Programme de crédit d'impôt pour l'édition de livres — Gestion SODEC

Dépôt légal : troisième trimestre 2015
Bibliothèque et Archives nationales du Québec
Bibliothèque et Archives Canada

ISBN : 978-2-89703-312-5

SAI MAA

VIVRE SA PLEINE CONSCIENCE

Guide et enseignements

DISTRIBUTEURS EXCLUSIFS

• Pour le Canada et les États-Unis :
MESSAGERIES ADP*
2315, rue de la Province
Longueuil (Québec) J4G 1G4
Tél. : 450 640-1237
Télécopieur : 450 674-6237

* une division du Groupe Sogides inc.,
filiale du Groupe Livre Québecor Média inc.

• Pour la France et les autres pays :
INTERFORUM editis
Immeuble Paryseine, 3, Allée de la Seine
94854 Ivry CEDEX
Tél. : 33 (0) 4 49 59 11 56/91
Télécopieur : 33 (0) 1 49 59 11 33

Service commande France métropolitaine
Tél. : 33 (0) 2 38 32 71 00
Télécopieur : 33 (0) 2 38 32 71 28
Internet : www.interforum.fr

Service commandes Export —
DOM-TOM
Télécopieur : 33 (0) 2 38 32 78 86
Internet : www.interforum.fr
Courriel : cdes-export@interforum.fr

• Pour la Suisse :
INTERFORUM editis SUISSE
Case postale 69 — CH 1701 Fribourg — Suisse
Tél. : 41 (0) 26 460 80 60
Télécopieur : 41 (0) 26 460 80 68
Internet : www.interforumsuisse.ch
Courriel : office@interforumsuisse.ch

Distributeur : OLF S.A.
ZI. 3, Corminboeuf
Case postale 1061 — CH 1701 Fribourg — Suisse

Commandes : Tél. : 41 (0) 26 467 53 33
Télécopieur : 41 (0) 26 467 54 66
Internet : www.olf.ch
Courriel : information@olf.ch

• Pour la Belgique et le Luxembourg :
INTERFORUM BENELUX S.A.
Fond Jean-Pâques, 6
B-1348 Louvain-La-Neuve
Tél. : 00 32 10 42 03 20
Télécopieur : 00 32 10 41 20 24

Avant-propos

de Marianne Williamson

La première fois que j'ai rencontré Sai Maa, elle était dans mon allée au milieu de la journée. J'ai vu une petite femme coiffée d'un grand chapeau blanc qui tenait un bouquet de fleurs à la main et me regardait d'un air interrogateur, comme si elle évaluait ma vie.

Une fois dans la maison, nous avons échangé quelques plaisanteries, puis elle a offert de me parler en privé. Nous sommes allées dans une autre pièce, je me suis étendue sur le canapé et elle m'a dit des choses que je n'aurais jamais pensé que quelqu'un puisse connaître à mon sujet. Elle semblait radiographier mon âme, comme si elle voyait ce qui avait été blessé en moi et qui s'était rompu, et savait ce qu'il y avait à faire à ce sujet.

À l'époque, je traversais une période sombre et douloureuse et je me sentais profondément déprimée. La semaine qui a précédé ma rencontre avec Sai Maa, je me rappelle m'être écriée au milieu de la nuit : « Mon Dieu, aide-moi ! » Et je crois qu'il l'a fait, en partie avec cette petite femme qui se tenait debout dans mon allée, tenant des fleurs sous le soleil.

Bien que je ne me souvienne pas précisément de ce que Sai Maa m'a dit ce jour-là, je me rappelle qu'au moment où je me suis assise, je savais que j'étais en présence d'une sainte femme dotée d'une pensée profonde. J'ai pu expérimenter sa capacité à faire jaillir la Lumière de quelque royaume sanctifié pour éclairer les endroits sombres de mon esprit et de mon cœur.

Lorsque j'ai été affaiblie au point où les médecins m'ont annoncé l'apparition probable de la maladie, j'ai senti le désespoir gagner tout mon être. Sai Maa m'a sauvée alors que j'étais au bord de l'abîme. Je ne sais pas comment le dire autrement. Je sens qu'elle m'a sauvé la vie. Je ne connais pas le processus par lequel une femme peut recevoir le genre de pouvoir qu'elle détient, mais Sai Maa connaît des choses sur mon âme que seule une personne très proche de l'esprit de Dieu pouvait savoir.

Mieux encore, lorsqu'elle a promis de m'aider à apaiser mes douleurs, elle l'a fait. Elle a versé une médecine spirituelle dans mes veines. Une des plus grandes bénédictions de ma vie est de l'avoir rencontrée. J'espère que chaque personne qui lira ce livre y puisera une dose de la médecine de Sai Maa. Je sais ce que cette médecine a fait pour moi et je souhaite qu'elle le fasse pour vous.

Puissions-nous tous être guéris.

Préface

de Jacques Salomé

Cette préface, pour ceux qui me connaissent, n'est pas un paradoxe, car je suis agnostique et j'ai la faiblesse (ou le courage) de penser que le Divin est en nous à chaque instant. Cette préface est un hommage. Un hommage rendu à quelqu'un que j'admire pour le cheminement de sa pensée, pour la force de son enseignement, pour les actions désintéressées qu'elle soutient de par le monde et pour le travail qu'elle propose, qui est de guider et d'accompagner ceux qui la suivent vers une attention plus consciente et des choix de vie plus lucides.

Ce qui veut dire que j'ai été interpellé non seulement par l'ouvrage de Sai Maa Lakshmi Devi, mais aussi par sa personne. Il se trouve que j'ai suivi son parcours sur plus de vingt ans et je sais combien cette femme est emplie de sagesse et d'Amour, de présence bienfaisante, de rigueur limpide et de tolérance infinie. J'ose dire qu'elle est un être d'Amour. Porteuse d'un Amour concret, lucide, exigeant aussi, elle invite chacun à se dépasser, à rencontrer le meilleur en lui pour aller vers le meilleur en l'autre. Je sais qu'elle consacre l'essentiel de son temps et de sa personne à faire le bien, à révéler le bon, à mettre en évidence le beau et à éveiller les consciences chez ceux qui la rencontrent, ou qui la découvriront dans ces pages, non seulement pour les éveiller, mais aussi pour les élever, du moins ceux qui acceptent sa présence et son enseignement, et ils sont nombreux dans le monde.

Il y a dans ce livre une rare compassion, le désir d'offrir à chacun un regard, une écoute et la possibilité d'une démarche d'introspection, d'ouverture et de transmission d'un savoir ancien, immémorial, d'autant plus généreux qu'il est accessible à tous.

L'aspiration relationnelle à être meilleur, la ferveur spirituelle et la soif de rencontrer le Divin — qu'il y a en chacun — peuvent trouver ici un espace où se réaliser.

Sai Maa a, me semble-t-il, su concilier sans les banaliser ou les affadir les bases d'un enseignement universel transmis par les grands maîtres spirituels de l'Orient et de l'Occident.

Ses références sont toniques. Ses propositions et les exercices décrits représentent des points de repère concrets pour avancer et progresser sans se perdre dans les chemins difficiles d'une initiation au travail sur soi. Un des enjeux de ce travail sera de vivifier, de respecter et d'agrandir la vie présente, passée et à venir qui est en chacun ; de permettre une liberté d'être fondée sur une plus grande conscience de ses possibles et d'apprivoiser sa joie intérieure faite de transcendance et de plénitude. Sai Maa Lakshmi Devi est un maître spirituel qui se veut, et son action humanitaire le confirme, au service des individus et des communautés et, au-delà d'une vision pour un futur plus lumineux, porteur de paix et d'une meilleure conscience du devenir de l'homme.

Je peux imaginer que la lecture de ce livre en invitera plus d'un à se réconcilier non seulement avec le Divin qui l'habite, mais aussi avec celui qui l'entoure pour grandir et se réaliser dans toutes ses potentialités.

Ce livre est une porte grande ouverte sur l'Amour pour qui saura le lire sans préjugés et une offrande pour celui qui pourra l'accueillir dans le respect de soi.

À Sri Sathya Sai Baba

Mon Baba,

Dans tout ce que Je Suis, à Vos Pieds
Dans tout ce que Je Suis,
au centre de Votre Cœur
scintillant de Lumière d'Or…

Dans tout ce que Je Suis,
observant chacun de nous
s'épanouir avec Gloire,
Par la Grâce de votre Amour divin.

Dans l'éternité,
Vôtre toujours,

Sai Maa

Quelques mots sur l'auteur

Native de l'île Maurice, Sai Maa bénéficie d'énergies de guérison depuis l'enfance. Elle a mené une vie de citoyenne très engagée en France dès le début de la vingtaine avant de faire la rencontre d'un homme merveilleux avec lequel elle s'est mariée et a vécu pendant de nombreuses années. Elle a donné naissance à une fille et à un garçon qu'elle a guidés avec rigueur et qui sont encore très proches de leur mère. C'est au début de la quarantaine qu'elle décide d'entreprendre sa mission de vie : élever la conscience de l'humanité. Elle laisse tout, et se consacre entièrement à former des maîtres spirituels capables à leur tour de transformer la planète. Sai Maa a reçu de nombreux titres et honneurs, dont le plus prestigieux, celui de *Mahat Jagadguru* par la Société Saint-Vishnu. Elle est le seul maître spirituel féminin à avoir obtenu ce titre depuis 5 000 ans. Elle donne des conférences et des ateliers dans sept pays répartis sur tous les continents. Elle voyage dans le monde entier, enseignant et parlant de spiritualité, de psychologie, de société, ainsi que du rôle des femmes et des entreprises dans l'avenir de nos sociétés.

Sai Maa sait parler aux âmes, car elle aime profondément tous les êtres humains. Sa force réside dans le fait qu'elle enseigne à partir de son vécu et de ses expériences. Cette connaissance vous est aujourd'hui offerte pour vous aider dans votre évolution. Sai Maa est différente des autres maîtres : elle est pragmatique et va droit au but. Elle a de la trempe et du cran, de la passion et de l'énergie à revendre !

Le chemin qu'elle vous propose d'emprunter dans cet ouvrage rassemble plusieurs de ses enseignements les plus pertinents, les plus efficaces aussi. Vous aurez accès à des techniques propres à Sai Maa pour progresser considérablement, si tel est votre désir.

Chapitre 1

Vous êtes multidimensionnel

La présence JE SUIS

Bon nombre d'entre vous voient cette image pour la première fois. Prenez le temps de bien la regarder. Elle représente ce que vous êtes réellement, même si vous avez oublié ! Vous êtes bien plus qu'un corps physique :

vous êtes tout cela. Cette image illustre votre soi véritable. Elle est à la base de mes enseignements.

L'image de la présence JE SUIS illustre clairement la relation entre notre corps physique ici sur Terre et la source, ou Dieu, qui est à la fois en nous, autour et au-dessus de nous. Cette représentation de nos différentes dimensions nous sert de modèle et de guide pour nous rappeler qui nous sommes réellement.

Les personnages

Imaginez une lumière très brillante qui est Dieu, l'essence de tout ce qui est: la source, la création ou la pure conscience. Cette lumière divine n'est pas représentée sur notre image, mais nous pouvons l'imaginer juste en haut, dans le prolongement de ce tube de lumière. Pour s'incarner en nous, Dieu passe à travers différentes dimensions que nous représentons ici avec des personnages, des silhouettes.

Le personnage tout en haut est le JE SUIS, le soi suprême; il symbolise la dimension la plus élevée de qui vous êtes. Vous êtes une partie de Dieu, et ce, indépendamment de votre cheminement spirituel jusqu'à maintenant.

Le personnage du milieu représente votre soi supérieur, votre ange gardien. Cette dimension de vous est la petite voix intérieure qui vous parle et qui tente de vous guider dans les différentes situations de la vie. Comme elle se situe à mi-chemin entre votre dimension suprême et votre dimension terrestre, c'est une grande source d'inspiration et de guidance.

Le personnage du bas, c'est vous, dans votre forme humaine, expérimentant la vie sur Terre.

Comme vous le voyez sur l'image, l'amour rayonne à partir du cœur, illuminant tout le corps. Tout part du cœur; c'est par lui que l'humain développe ses liens avec ses dimensions spirituelles.

Vous croyez généralement que vous êtes uniquement l'être physique représenté au bas de l'image, mais nous sommes beaucoup plus que cela. Vous êtes tous ces personnages simultanément, l'image dans sa totalité. Vous êtes Dieu, cette pure énergie.

Les liens entre les personnages

Sur le plan énergétique, ces personnages vibrent à des niveaux différents. Le personnage du haut vibre à une fréquence plus élevée que le corps physique en bas de l'image.

Au centre, la fréquence est plus basse que le Soi Suprême et agit comme trait d'union entre les différentes dimensions. Le corps humain n'est pas fait pour soutenir l'intensité de la Source, d'où l'importance de réguler sa fréquence pour pouvoir bien incarner la présence JE SUIS sur Terre.

Dans la partie supérieure de l'image, il émane de notre JE SUIS une PRÉSENCE divine individualisée, une lumière blanche qui se répand dans toutes les directions. Cette lumière est projetée depuis le centre du soi suprême jusqu'au cœur dans le corps physique. La connexion de l'esprit à la forme est symbolisée dans cette image par un canal de lumière blanche appelé *Antakarana* ou corde d'argent.

Le personnage au centre de l'image, le soi supérieur, régule la quantité d'énergie qui s'écoule à travers la corde d'argent jusqu'au corps. C'est le véhicule à travers lequel le JE SUIS existe dans le monde physique.

Le bas de l'image montre le corps physique entouré du pilier de lumière et de la flamme violette. Notez que la corde d'argent, qui se prolonge depuis le JE SUIS, est ancrée dans le cœur. Le pilier de lumière est un canal, dont la substance est pure lumière, qui protège le corps physique et les corps subtils en les isolant des vibrations plus basses du plan physique. Il s'étend du JE SUIS jusqu'au-delà des pieds, au centre de la Terre.

La flamme violette est la flamme de transmutation. Elle agit comme un effaceur qui désamorce le karma, annihilant ainsi ses aspects discordants ou négatifs. En utilisant cette alchimie divine, nous pouvons commencer à équilibrer notre vie. Tant que nous sommes dans un corps physique, nous pouvons purifier notre karma en transmutant l'énergie discordante accumulée au cours de cette vie et des vies précédentes. La flamme violette utilise l'amour divin en action pour consumer ou transmuter tout ce qui ne nous sert plus.

Le lotus symbolise la pureté et l'épanouissement de la matière physique dans le divin. Les dauphins représentent la conscience de l'amour inconditionnel, la joie pour la joie.

Revenez souvent à ce chapitre tout au long de votre lecture. Plus vous avancerez, plus vous saisirez l'impact des différentes facettes qui contribuent à vous guider dans votre évolution spirituelle. Prenez votre temps et demeurez dans l'action: poursuivez la lecture de ce livre, même si vous ne comprenez pas tout sur-le-champ. N'oubliez pas que vos dimensions supérieures, qui font partie de ce que vous êtes, comprennent bien plus que vous le pensez. Ce livre est un rappel pour vous souvenir de ces connaissances. Soyez ouverts ! Respirez consciemment et ouvrez votre cœur. Votre constance et votre discipline vous amèneront à faire un pas considérable pour vivre votre pleine conscience et ressentir avec intensité bien-être, amour et joie au quotidien.

Chapitre 2

Comprendre l'impact de l'Amour et de la peur

Dieu, la Source, l'Unité, la création résident en vous, et vous pourriez en faire l'expérience dans l'instant.

Tant que vous ne faites pas l'expérience de vivre selon votre Vérité, votre mental vous joue des tours. Votre personnalité se sent désespérée, car elle se fie à l'information qui provient de votre ego. C'est souvent lui qui tente de vous maintenir dans la peur. Vous ne pouvez pas vous sentir en paix dans un tel état. C'est ce que la majorité des gens vivent actuellement sur Terre.

Quand vous vivez des bonheurs extérieurs, comme une nouvelle relation, un nouvel emploi, vous pensez : « Ça y est ! Me voilà heureux ! » Puis, peu de temps après, vous recommencez à chercher, car le plaisir que vous avez vécu n'était qu'un plaisir de surface. Vous vous êtes senti « heureux » pour une raison extérieure, mais vous savez bien que votre intérieur, lui, cherche autre chose.

Je vois qu'il n'y a pas de paix en vous, car la paix véritable perdure même dans les moments chaotiques. Quand vous perdez votre emploi, quand vos parents décèdent, lorsque votre maison brûle, que votre compagnon[1] vous laisse tomber, que vos enfants s'en vont, que vous n'avez plus d'argent, que vos affaires ne vont plus, bref, quand votre monde s'effondre, vous sentez-vous *alors* en paix ? Lâchez-vous prise ? Vivez-vous dans la peur ou dans la foi et la paix ?

Aucune paix n'est possible tant que vous vivez des luttes, des tensions, de la peur. Comment la paix peut-elle régner sur Terre si la guerre fait rage en vous ? La paix est une responsabilité commune. Certains disent que le monde est un enfer, mais qui le crée ? Ce sont les habitants de la Terre qui vivent individuellement une guerre intérieure ! Rappelez-vous toujours que paradis et enfer, bien et mal, vrai et faux cohabitent dans le mental des humains. Quel est VOTRE choix ? Ne croyez pas que tout ce qui vous arrive vient de l'extérieur. Vous faites constamment des choix, plusieurs fois par jour et, trop souvent, ces choix sont dictés par la peur.

Lorsque votre intellect est purifié et que le mental accepte de devenir conscient, il est plus facile d'entrevoir, ne serait-ce qu'un instant, la loi de la conscience, l'Intelli-

---

1 L'utilisation du masculin sera privilégiée pour faciliter la lecture.

gence Suprême, ainsi que la Puissance Suprême appelée Dieu.

Que signifie le mot « Dieu » pour vous ? Comment voyez-vous Dieu ? Tel qu'Il *est* ou tel que vous *voulez* Le voir ? Avez-vous fait le choix ou le souhait de voir Dieu, ou bien vous êtes-vous dit : « Je m'en occuperai plus tard », pressé de vous mettre en quête de travail, d'argent, d'un compagnon ou de je ne sais quoi d'autre ? La plupart des gens ne s'occupent pas du bien-être de leur âme, remettant toujours cette tâche à un lendemain qui n'existe pas. Pourtant, c'est *vous*, avec votre libre arbitre et vos mains, qui créez le monde, la guérison, le paradis et toute autre expérience que vous choisissez de vivre.

Dieu, la Source, réside en vous, et vous pouvez en faire l'expérience dans l'instant même. Cette immense puissance, bien au-delà du mental ou des émotions, vous la portez en vous. Quand vous y prêtez attention, vous vivez au-dessus de l'ignorance ou de l'illusion du monde matériel. Baba disait : « Échangez les lunettes de la peur contre celles de l'Amour et vous verrez toute la beauté du monde. »

Si vous êtes de ceux qui méditent depuis longtemps et qui ne retirent peut-être pas tout le « suc » de leur pratique, je vous invite à ouvrir quelques portes en vous, à redevenir un débutant qui ne s'enorgueillit pas d'avoir suivi tant de cours, rencontré tant de maîtres spirituels et d'enseignants spirituels, reçu tant de mantras. Il vous faut devenir humble, reprendre du début. Ce moment de renouveau contient le miracle même de la création. C'est la loi de la vie : l'évolution et le changement sont constants. Abandonnez toutes vos *idées* sur l'illumination et toutes les attentes créées par le mental pour laisser libre cours à une énergie nouvelle.

Que diriez-vous de vivre sans jamais ressentir la peur ? Le but d'une vie humaine est de chercher à découvrir le Soi Supérieur à l'intérieur de soi, ce Dieu dont nous parlons et auquel nous pensons tous. Chaque instant est porteur de cette possibilité, mais un sentiment de séparation vous empêche de faire l'expérience de cette Présence. La plupart d'entre vous pourraient vivre dans la dualité, passant de l'Amour à la peur et de la peur à l'Amour. Cette peur est très puissante ; souvent, elle vous ébranle. Vos schèmes de pensée sont si saturés de peur que vous vous méfiez de votre force et de vos sentiments. Prenez conscience que vous faites davantage confiance à la peur qu'à toute autre chose, allant même jusqu'à placer votre foi en elle.

Bien sûr, vous voulez être heureux. Tout le monde veut être heureux. Vos choix, vous les faites dans ce but, mais avez-vous remarqué que le bonheur qu'on trouve à l'extérieur de soi ne dure jamais ? Vous recherchez le bonheur dans chacune de vos actions, or, votre essence est joie, la joie divine réside en vous; elle vient de l'intérieur. Il faut toujours vous en souvenir.

La joie que vous pouvez éprouver dans le monde extérieur n'est qu'une étincelle comparée à la joie intérieure. Faites travailler votre mental et allez à l'intérieur de vous. Là se trouve l'élixir de vie, la joie profonde et durable que vous recherchez tant. Le monde extérieur ne vous donnera jamais cette satisfaction, car la joie divine ne se manifeste qu'au contact de la vérité intérieure.

De plus en plus, tout naturellement, vous sentirez votre propre Divinité. À l'intérieur de votre corps se trouve le JE SUIS qui est au-dessus et au-delà de toute chose créée sur Terre. Ce JE SUIS est l'Absolu; il est la pure conscience divine intérieure qui vit pour être aimée de vous. Cet Amour, vous le trouverez uniquement dans votre cœur. C'est la voie de la félicité. Vous êtes toujours libre de choisir. C'est à vous de choisir de trouver la joie en vous.

La paix intérieure vous ouvre la voie vers la conscience divine. Ainsi, vous pourrez acquérir la maîtrise des sens afin que le JE SUIS absolu, la conscience, prenne le contrôle et exprime Sa pureté. Alors seulement, vous toucherez à l'éternité. En revanche, si vous vous identifiez au mental qui erre sans but et sans fin, qui ne vit que par les peurs et les bonheurs externes, la souffrance ne disparaîtra pas. Seule votre Divinité, le JE SUIS, dissipe la souffrance et apporte une paix durable.

La méditation vous aide justement à vous maintenir au-delà de cette souffrance. C'est un état d'attention, un état divin. Au cours de la méditation, le mental tentera de meubler l'espace disponible avec des idées. Vous savez que ces idées sont éphémères ; alors pourquoi vous fier au mental ? Lors de vos méditations, laissez-les simplement passer sans y porter attention.

La méditation permet à votre Être intérieur, l'Invisible, de se déployer. Une fois déployé, il se manifestera dans *toutes* vos actions. Une pure énergie divine baignera tout votre Être. Cette conscience est à l'origine de toute création présente et à venir. Sachez aussi qu'il est vain de chercher à retirer une quelconque fierté de vos expériences de méditation.

En méditant régulièrement, vous connaîtrez une grande liberté, car la conscience est la liberté même. Elle est pure énergie et vous permet de créer toutes choses. La conscience est si libre qu'elle ne peut être souillée. Elle vit dans votre souffle, ce souffle qui vous conduit directement à son Créateur.

Si vous n'êtes pas suffisamment engagé dans une pratique de méditation soutenue, il se peut que vous ne reconnaissiez pas au départ cette conscience ni l'éclat de votre propre Lumière. Sachez qu'il n'y a rien à atteindre ; il suffit de ressentir, de percevoir, d'accepter, d'être en contact et de rester conscient. Voir votre Lumière intérieure est possible grâce à l'Amour. Le mental est encombré de trop de filtres pour vous permettre de faire l'expérience directe de votre Lumière, à moins que vous vouliez consacrer de nombreuses années à le purifier.

À chaque instant, vous êtes cette Lumière qui brille avec éclat. Quand les sentiments que vous éprouvez sont vrais, qu'ils ne s'appuient pas sur la peur, vous sentez la Présence de cette glorieuse Lumière. Vous êtes cette Lumière !

Chapitre 3

La différence entre la joie et le bonheur

Le bonheur vient de la raison,
la joie vient de l'intérieur.

Le bonheur se trouve dans les choses qui changent et qui passent, comme les relations, le mariage, et ainsi de suite. Tout ce qui vient et s'en va apporte son lot de souffrance et de bonheur. Si vous souhaitez connaître le bonheur, je ne peux pas vous promettre que vous serez heureux de façon durable. Regardez plutôt en vous, vous y trouverez la joie du Soi. Alors, vous saurez faire la différence : le bonheur vient de la raison, tandis que la joie vient de l'intérieur.

Les idées de douleur et de plaisir, de difficulté et de facilité viennent du mental et changent constamment. Vous ne devriez pas vous fier à votre mental parce qu'il est toujours dans un état de détresse. Le mental se nourrit de choses matérielles. Sachez qu'aucune ne dure. Elles viennent et s'en vont.

Quand vous vous sentez embrouillé, désorienté, sachez que ce n'est pas votre Être tout entier qui est confus puisque vous êtes aussi le Soi. C'est le mental qui l'est.

Ne soyez pas esclave de vos envies ou de vos désirs. Pensez-vous qu'un mari ou une femme, des enfants, une maison, une voiture, un métier, une famille vous apporteront la joie à laquelle vous aspirez ? Je vous en prie, cessez d'alimenter ces désirs qui sont source de confusion. C'est un cercle vicieux. Détachez-vous de tout ce qui agite votre mental. Rien de tout cela n'est permanent. Rien.

Seul l'immuable est permanent. Rien de ce qui change ne peut être permanent ! Bien sûr, vous voulez que votre bonheur, votre joie durent, mais vous ignorez le sens du mot « permanent ». La permanence suppose une mémoire infaillible au fil du temps. Reposez votre conscience et votre mémoire dans l'éternel, dans la vibration infinie du temps. La permanence, comme la joie authentique, est ce qui ne change pas, contrairement au mental qui change constamment.

La puissance éternelle de la joie

Le Créateur nous crée tous à Son image, dans la joie et par la joie. C'est donc votre héritage, votre droit de naissance, d'être joyeux en permanence. En réalité, il vous est plus facile d'être joyeux que déprimé, car la joie est votre essence. Personne ne peut vous enlever la joie véritable, authentique ; personne ne peut voler votre joie intérieure.

La joic est très différente du bonheur. Il est important de vous souvenir que le bonheur provient d'une cause extérieure tandis que la joie jaillit de la source d'Amour pur. La joie véritable se répand facilement et vous transforme instantanément. La joie intérieure n'a pas de forme ; elle dépasse le bonheur des sens. Elle est la source de toutes les sources et ne se manifeste que si vous tournez votre regard vers l'intérieur. La joie vient de votre Soi Suprême.

Et la joie de l'Amour est tellement enivrante que vous danserez dans l'extase sans même vous en rendre compte. Le bonheur extérieur est une expression limitée de la joie divine intérieure. Votre Présence est joie ; l'air frais apporte de la joie, être assis avec des gens qu'on aime est joie, la bénédiction du soleil est joie. Toute la Création est pleine de joie, imprégnée de joie et, avec joie, l'univers entier accorde la Grâce de la joie.

La joie fuse dans vos cellules, créant un sentiment d'Amour à l'intérieur de vous. Ce sentiment d'Amour vous mène à la paix. Parce que votre véritable esprit est joie, rien ne peut interrompre la joie quand elle émerge de l'intérieur. Cette félicité, c'est la vraie nature de votre Dieu intérieur.

Nous sommes bénis d'être des incarnations de la joie ; la joie d'une fleur, la douce joie d'un regard, les larmes de joie de notre cœur, l'unique et splendide joie de servir. Le Divin nous accorde la joie. Cette joie est si précieuse et sa puissance est si grande que lorsqu'elle se déploie, le son s'en répercute et s'en fait l'écho dans tout l'univers.

Donc, accueillez la joie… accueillez-la ! Elle est l'*Atma* (le Soi, le Soi Supérieur) et il n'y a pas de place pour le doute quand vous êtes dans cet état de félicité. Goûtez cette joie, buvez-la, ressentez-la tout autour de votre Être, partagez-la avec tous, transmettez-la à tous ceux que vous rencontrez. C'est votre devoir d'exprimer la joie de l'univers.

Un jour, quelqu'un m'a offert une papaye. Le fruit était saturé d'Amour et de joie. Ce fut une immense joie de savourer ce fruit offert et préparé par Dieu. Nous sommes bénis. Nous sommes tellement aimés que même un fruit exprime son Amour dans notre Être physique.

Voilà pourquoi il faut faire l'expérience de la joie de l'univers. Au début, tournez-vous vers l'intérieur pour ressentir cette joie. La joie véritable ne connaît pas de fin : elle est sublime, elle est pleine. Fusionnez votre conscience avec la joie de l'univers. Les qualités divines de la joie sont en chacun de vous, et lorsque vous vivez dans la félicité, vous goûtez à l'élixir éternel de l'Amour de Dieu. Il est si facile de laisser la félicité nourrir votre Être tout entier puisqu'elle est votre propre essence. Laissez-vous imprégner de la grandeur de la joie, de la pureté de la joie ; sa puissance est incommensurable. Elle vient directement de la Source. Pour ne faire qu'Un avec la Source, vous devez aller bien au-delà des notions de bien et de mal, de vrai et de faux, qui vous maintiennent dans un état de dualité. Il vous faut dépasser la dualité pour arriver là où il n'y aura plus de déceptions.

Cette joie, pleine de compassion, vous conduit à la vérité, au Soi, à Dieu. Dieu est l'incarnation de la joie, Il est Esprit, et ceux qui pratiquent la *sadhana* connaissent la joie intérieure. La discipline spirituelle vous conduira à la joie divine, une joie que personne ne peut vous enlever. Dans le secret de votre grandeur, à l'intérieur de vous, une joie très profonde attend de s'exprimer, de se révéler à vous.

Chapitre 4

Être vrai dans ses relations

Les limites qui découlent de la peur et du besoin.

La plupart du temps, vous entrez dans une relation parce que vous vous sentez seul ou que vous craignez de vous retrouver seul face à vous-même. C'est parfois aussi la dépression, l'ennui ou le besoin d'affection qui vous amène à commencer une relation. Comment pourrait-elle être harmonieuse si c'est là sa principale raison d'être ?

Beaucoup d'entre vous transfèrent les peurs des anciennes relations dans la nouvelle. Vous avez peut-être été blessé par un conjoint qui est parti avec une autre. Quand arrive la relation suivante, vous vous dites : « J'espère qu'il ne me quittera pas ; je ne veux surtout pas souffrir comme la dernière fois. » En ramenant ainsi le passé dans l'instant présent, vous ne pouvez plus être dans « l'instant présent ». Vous ne pouvez pas être disponible à cette nouvelle relation. Sachez que tant que des peurs vous habitent, vous n'êtes pas libre.

Or, vous ne voulez pas entrer dans une relation avec de vieux schémas. Quand vous souhaitez établir une relation, posez-vous cette question : « Pour quelle raison est-ce que je désire ou que je cherche une relation ? » Une relation peut avoir de nombreux buts.

Prenez conscience du fait que chaque relation est sacrée, nouvelle, divine, unique. Et rappelez-vous l'importance de la communication et du partage dans vos relations. Vous pensez peut-être que vous n'avez pas de besoins, mais réfléchissez-y. Observez bien. À l'intérieur, de chaque côté de la relation, il se peut qu'il y ait un vide qui aspire à être comblé. Et cela, ce n'est pas le signe d'une relation véritable. Lorsque vous dites à quelqu'un : « Je t'aime », que lui dites-vous réellement ? Quelles conditions posez-vous à cette relation ? Quelles sont vos vraies attentes ? Cette relation est-elle légère et spontanée ou est-ce que vos besoins éliminent toute liberté pour créer des attentes ? Occultez-vous les vraies raisons pour ne retenir que les fausses ?

La relation à l'autre est un miroir de votre Soi

Une relation est un miroir pour le Soi. Elle vous aide à grandir, parce que dans une relation, vous avez à prendre des décisions, à faire des expériences, à dire oui et à dire non. Combien d'entre vous n'osent pas dire non dans leur relation ? Le oui et le non doivent s'équilibrer. Si vous voulez vivre une relation vraie, vous devez apprendre à dire oui ou non librement, sans avoir à composer avec les peurs du passé.

Dès que vous entrez dans une relation, je constate souvent que vous pensez à sa durée. Vous voulez vous accrocher à votre relation, la rendre durable. Qu'est-ce que cette attitude ? Quelle peur s'y cache ? Si vous êtes libre dans une relation, alors vous recevrez beaucoup. Par exemple, quand vous donnez sans même savoir que vous êtes en train de donner, la relation est épanouissante. Quand vous êtes dans une relation sans vous attendre à ce que l'autre change, alors vous grandissez.

Souvenez-vous que dans une relation vraie, il n'y a ni devoir ni obligation. Dans votre relation, engagez-vous envers votre Soi Supérieur sans attendre que l'autre personne s'engage envers vous. Une relation est une très belle occasion ; elle vous amène à être en relation avec la Création elle-même. C'est là que votre âme vous conduit.

C'est vous qui avez fait venir ce miroir. Cette personne que vous attirez est votre propre miroir. Donc, si vous ressentez un jour de la haine, du dégoût ou de la jalousie et que vous vous dites : « Je voudrais n'avoir jamais été dans cette relation », prenez conscience du fait que vous êtes face à vous-même ! En revanche, si vous choisissez de vivre une relation où il n'y a que splendeur, victoire, harmonie, Unité et Divinité, le partage sera si merveilleux et si puissant que le souffle que vous respirez tous deux fusionnera avec tout l'univers. Faites-en l'expérience dans la joie.

Prenez le temps de savoir si vous vous aimez ou si vous vous oubliez dans cette relation. Ce serait une grave erreur de vous oublier. Aimez-vous dans cette relation et vous n'irez pas constamment à l'extérieur de vous-même en n'aimant que l'autre. Si vous oubliez votre Soi, comment pensez-vous que la relation pourra s'enrichir ?

Il y a aussi l'image de vous-même que vous amenez dans cette relation, la partie de vous que vous mettez en avant. C'est un point très important : examiner cette image.

Il importe également de vous interroger sur vos objectifs, sur votre évolution, sur votre niveau de conscience. Vous pensez peut-être aimer, mais demandez-vous si vous aimez le Soi Supérieur en votre compagnon ou si vous aimez seulement son corps. S'agit-il d'Amour ou d'un simple jeu de séduction ? Demandez-vous si vous êtes vraiment aimant. Peut-être confondez-vous le corps et le Soi ? S'il y a de la confusion, réfléchissez à ce que cette relation suscite en vous.

Sachez que dans une relation, vous avez d'abord à être avec votre Soi Supérieur, à prendre soin de la Divinité qui est en vous. Ayez conscience de ce que vous pratiquez et voyez si vous utilisez votre relation pour glorifier l'Amour intérieur avec le Soi, avec la connaissance du Soi. Demandez-vous si vous vous glorifiez en tant que Soi Supérieur.

Voyez si vous saisissez cette occasion pour faire preuve d'humilité afin de mieux savoir qui vous êtes dans la relation. Par exemple, demandez-vous si vous laissez monter vos peurs à la surface pour y faire face. Choisissez-vous d'être vrai dans cette relation ? Quels sont vos choix ? Demandez-vous si vous manifestez votre Soi Supérieur. Si vous êtes sincère et vrai avec votre Soi, tout ce que vous et votre compagnon mettrez en pratique dans la relation deviendra Unité.

Quand vous désirez une relation, c'est très souvent parce que vous vous êtes oublié. Vous avez oublié votre Soi Supérieur. Vous vous êtes perdu et vous vous cherchez dans l'autre. Je vous conseille donc, à vous qui choisissez de vivre une relation vraie, de réfléchir au manque que ce compagnon est censé combler en vous. J'utilise ce mot à dessein, car vous êtes nombreux à sentir qu'il manque quelque chose en vous, et vous voulez combler ce manque par une relation.

Les questions qui émergent sont donc les suivantes : « Qui est-ce que j'aime vraiment ? Est-ce que je sais ce qu'est l'Amour ? » Il importe de savoir si votre cœur est vrai dans cette relation et où se trouve cette vérité. Demandez-vous si vous ne tombez pas dans un abîme en étant fou d'Amour et de passion, et si cette expérience est positive. Les mots que j'utilise, qu'ils soient vrais ou faux, positifs ou négatifs, ne servent qu'à vous faire comprendre l'enseignement. Sachez qu'il n'y a ni vrai ni faux, ni bien ni mal. Tout n'est qu'expérience !

Comme la plupart des gens, vous aspirez à un Amour que vous auriez voulu recevoir de votre mère ou de votre père et auquel vous n'avez pas encore goûté. La toute première relation doit être la relation à vous-même. Si vous n'avez pas encore ouvert ce chapitre de votre vie, je vous invite à le faire. Et quand vous choisissez d'entrer en relation avec vous-même, demandez-vous si vous êtes le corps, le mental, l'expérience. Il est important de savoir si vous évoluez dans cette relation.

Je vous invite à considérer la relation avec l'autre comme sacrée. Elle constitue une immense occasion de glorifier votre Amour pour vous-même. Aussi, examinez le rôle du Soi Suprême dans votre relation. Interrogez-vous sur le rôle du Divin dans votre relation, sur votre niveau de conscience ; demandez-vous s'il est possible de recevoir d'une autre personne l'Amour que vous devriez avoir pour vous-même.

Ayez conscience du fait que si vous ne vous aimez pas, il vous sera impossible d'aimer votre compagnon, et que si vous vivez dans la peur, vous ne pourrez pas ressentir son Amour. Sachez que si vous rencontrez un Être et que vous lui dites : « Nous formons un couple. Jure-moi que nous vivrons toujours ensemble, que tu ne regarderas que moi et que tu n'aimeras personne d'autre », ce n'est pas de l'Amour. La plupart d'entre vous ne voient pas leur propre valeur et se dénigrent. Il n'est pas possible de vivre une relation vraie avec de tels bagages.

Par exemple, dès que vous ressentez de la jalousie, sachez que c'est parce que vous avez peur de perdre votre compagnon. Et cette peur vous empêche de vous donner entièrement dans la relation. En conséquence, vous craignez que cette personne obtienne de quelqu'un d'autre ce que vous ne lui donnez pas.

Supposons maintenant que vous viviez avec votre compagnon et que vous partagiez tout. C'est votre idéal : le prince charmant (ou la charmante princesse) vit avec vous, et tout est parfait. Peut-être que ce n'est pas vrai ; il se peut que vous ne viviez pas dans la vérité... mais faisons comme si. Vous vivez ensemble et vous dites tous les jours à votre compagnon que vous l'aimez. Puis, un jour, votre compagnon fait quelque chose qui vous déplaît. Comment vous sentez-vous ? Ce pourrait être quelque chose qui vous dérange, comme une sortie au théâtre, un week-end loin de vous avec des amis, une conférence spirituelle de cinq jours passés auprès d'un maître spirituel. Vous vous sentez abandonné. Vous avez le sentiment que votre compagnon vous rejette, ne voit pas votre valeur, vous manque de respect.

Ou, pire encore, imaginons que votre compagnon rencontre une autre personne qui devient son grand Amour. Il pense avoir trouvé l'Amour cette fois-ci, LE VRAI. C'est là son illusion. Votre compagnon décide alors de vous parler de cette rencontre et de son envie d'entamer une relation avec cette personne. Que ressentez-vous ? Vous vous mettrez peut-être à pleurer, à haïr votre compagnon pendant quelques minutes, quelques mois, voire quelques années. Vous ne voulez plus le voir.

Tout cela, c'est de la manipulation. La plupart des gens essayent d'obtenir quelque chose d'une relation. Vous cherchez le bonheur à l'extérieur de vous-même. Et quand votre compagnon n'accepte pas de répondre à vos attentes, vous croyez que le bonheur vous échappe. Vous espérez précisément recevoir ce que la personne ne veut pas vous donner. Ce comportement est inutile. Ce n'est pas une véritable relation, c'est du commerce, comme lorsque nous donnons de l'argent pour recevoir quelque chose en retour.

Honorez vos véritables sentiments d'Amour

Soyez vrai avec vous-même. Observez votre comportement, vos façons de faire, et vous apprendrez que peu importe que vous répétiez à votre compagnon combien vous l'aimez, il ne vous fera pas entièrement confiance s'il n'a pas ressenti son Amour pour lui-même. C'est ainsi. Dès que vous dites à votre compagnon que vous l'aimez, son mental lui dit: «Oh, mon Dieu! M'aime-t-il, m'aime-t-elle vraiment?» Ce principe s'applique à vous de la même manière.

À défaut de croire en votre Amour, votre compagnon vous demandera de le prouver. C'est à ce moment-là que vous commencerez à changer d'attitude, de manière de faire, de façon à répondre à ce que votre compagnon attend de vous. En même temps, votre compagnon pourra aussi changer son comportement, sa manière d'être, et tout cela vous changera tous les deux.

Derrière tout cela, il y a la peur. M'aimera-t-il, m'aimera-t-elle encore si je fais ceci, si je dis cela? C'est à ce moment-là que vous commencez à perdre la relation dans tous ces petits détails du quotidien, parce que c'est là que vous perdez votre Soi. Vous n'honorez plus votre Soi Supérieur, et l'attraction de l'Amour faiblit. Vous n'êtes plus en expansion, vous n'êtes plus ouvert ni épanoui, parce que la peur est derrière toute chose.

Prenons un autre exemple: supposons que vous conceviez que cette autre personne vous aime autant que vous, vous croyez l'aimer. Vous vous dites alors: «Oh, mon Dieu! Je me demande si ça va durer. Je n'arrive pas à y croire, c'est trop beau! Je sens que cela ne va pas durer parce que c'est trop beau.» Dès l'instant où vous êtes amoureux, dès l'instant où vous vous rendez compte que cette personne vous aime, vous faites l'expérience de la peur, la peur de perdre. Et c'est à ce moment précis que vous vous séparez de votre compagnon.

Comprenez-vous que lorsque vous l'aimez au point de vous oublier, vous oubliez aussi d'honorer votre Soi Supérieur ? Posez-vous la question : une relation peut-elle s'épanouir et se développer si vous ne vous respectez pas ? Comment cela serait-il possible ? Dans ce cas, la relation n'évolue que dans une seule direction. Aussi, je vous demande de réfléchir et de méditer sur le but de la relation à l'autre. Pourquoi entreprendre une relation si ce n'est pas pour qu'elle s'épanouisse ?

Il est très facile de savoir si vous êtes dans la vérité. Si c'est le cas, la relation vous élève, vos sentiments vous élèvent, car les sentiments qui procèdent de la vérité vous élèvent, vous mènent vers l'expansion et vous propulsent dans un état de joie intérieure, un pur délice qui ne vient pas de votre compagnon, mais de votre expérience. Toute relation vraie vous conduit dans votre espace intérieur.

Chapitre 5

Le pardon apporte la liberté

Quand le mental pardonne, le cœur pardonne.

Le pardon est d'une très grande importance dans la voie spirituelle, la *sadhana*. Nous avons vu que la joie est une clé ; le pardon en est une autre. Il ouvre une porte sur la liberté, celle qui vous permet d'accéder à une conscience supérieure. Je pense souvent à ce que Jésus a enduré, aux traitements qu'il a subis et au pardon qu'il a accordé. Quelle liberté sans jugement ! Le pardon doit être au centre de votre *sadhana*, au cœur de votre vie. Le fait de pardonner apporte un pouvoir extraordinaire.

Dès que le mental choisit de pardonner, là où sévit le ressentiment, un surcroît d'Amour et de Lumière pénètre dans le chakra du cœur. Le Soi Supérieur est toujours prêt à déverser la Grâce dans votre vie et à libérer votre personnalité, car la vie doit être miséricordieuse, empreinte de compassion, de simplicité et de pardon. Je vous invite à faire un travail d'introspection chaque fois que vous ne pouvez pas pardonner.

Il est important de choisir l'état dans lequel vous souhaitez vivre. Si vous dites, par exemple : « Je souhaite la paix sur la planète », comment pourriez-vous continuer à vivre sans pardonner ? Pour que le mental soit apaisé, l'ego doit se transformer en Amour et en Lumière. Le ressentiment est lié à des forces denses qui influent sur les corps subtils, en particulier sur le corps émotionnel et sur le corps mental. Pour qu'il y ait davantage de Lumière et de paix sur ce plan, et pour vous permettre d'accéder à des fréquences supérieures, ces corps, auxquels votre ego est naturellement lié, doivent être purifiés en priorité.

Depuis longtemps, votre ego, qui est aussi lié au corps physique, se nourrit d'émotions de bas niveau. Et soudain, parce que vous êtes sur la voie de la libération, vous dites à votre Soi Supérieur : « Je t'en prie, prends les commandes pour que la personnalité et l'ego cessent de tout contrôler ! » L'ego n'aime pas cela, car cette situation annonce sa fin. Alors il se rebelle et, en général dans une telle situation, il accumule les émotions de basses fréquences, la souffrance, la colère, le ressentiment, la frustration, l'envie et la jalousie.

Il est de votre devoir d'activer les attributs de Dieu, soit la pureté et la discipline, pour que le Soi Supérieur puisse prendre place. Au début, ce processus est un combat ; il se peut même que vous ayez des doutes. Il est naturel que des doutes émergent puisque l'ego souhaite l'emporter. Faites preuve de force et de persévérance pour que se manifeste la puissance de Lumière, cette grande puissance divine, que vous avez en vous.

L'Amour est une puissance. N'en doutez pas. Et si vous avez des doutes, acceptez-les. Mais, en tant que maître, il faut savoir que vous n'avez pas à douter des pouvoirs divins. Les anges et les *devas* sont toujours prêts à vous aider. Rappelez-vous que, du fait du libre arbitre, les maîtres ascensionnés, les maîtres spirituels et les anges respectent votre énergie et n'interviennent que si vous leur demandez de l'aide.

Ne croyez-vous pas qu'il est temps pour vous de prendre en main les commandes de votre vie et d'assumer la responsabilité de vos actes ? Ne permettez plus à l'ego de vous manipuler. Parce que vous avez été faible si longtemps, les expériences passées inscrites dans le mental, les *samskaras*, auront tendance à vous maintenir dans de basses fréquences. Soyez courageux. Le courage est nécessaire, il ne faut surtout pas abandonner.

Si vous souhaitez vous libérer de la souffrance, faites preuve de discernement. À nouveau, allez dans votre cœur. Ne donnez plus de pouvoir à votre ego. Permettez au Soi Supérieur de s'exprimer et de vous servir. Tout ce vieux karma a été planté il y a longtemps et maintenant, ses arbres et ses fruits apparaissent. Commencez dès à présent à semer d'autres graines et vous n'éprouverez plus ni honte ni culpabilité. Ainsi, la colère n'aura plus la force de continuer à croître.

Bien sûr, il est nécessaire de vous pardonner, et demander pardon rend humble. Commencez par contrôler et maîtriser vos émotions et vos sentiments les moins élevés. Soyez attentif. Observez-vous et engagez-vous résolument dans cette voie. Observez vos schèmes de pensée, évoluez et passez à autre chose ; vous en êtes capable. En choisissant d'être juste, vous accéderez tout naturellement à de plus hautes fréquences. Cette élévation des sentiments vous apportera beaucoup plus de joie.

Pardonnez sans cesse. Habituez le mental à des changements positifs. Sachez que votre mental est à la fois un outil très puissant et un espace vide. Ainsi, tout ce que vous y placez acquiert de la puissance parce que c'est un espace puissant. Le mental ignore si ce que nous déposons en lui est négatif ou positif, car il n'a pas de discernement. Tout ce que vous y déposerez grandit vigoureusement, d'où toute l'importance d'être positif.

Plus vous êtes positif, plus vous le deviendrez, car le sang propage dans tout l'organisme l'énergie que vous avez déposée dans le mental. Tout comme le corps mental entoure le corps physique, nous pouvons dire que le mental est partout dans le corps. Ainsi, si vous choisissez de planter aujourd'hui une graine positive, elle commencera à grandir et votre Soi Supérieur vous soutiendra lorsqu'il verra ce que vous faites.

Quand les maîtres ascensionnés s'apercevront de ce que vous faites, ils vous soutiendront à l'instant même où vous commencerez à déposer plus de Lumière dans vos corps subtils. C'est ainsi que vous atteindrez l'illumination et que vous connaîtrez l'éveil. Si vous vous consacrez vraiment à la Lumière, si vous avez en vous la motivation, la discipline et la pureté, la loi de l'attraction viendra à vous. L'éveil n'est pas une question de temps. Déversez constamment de la Lumière dans tout votre Être. Une grande part du sentiment de séparation disparaîtra, et l'état de béatitude commencera à apparaître.

Encore une fois, rappelez-vous que c'est vous qui choisissez de servir le Très-Haut ou l'ego. Activez la loi du pardon autant que vous le pouvez. L'éveil est entre vos mains. Vous ne pouvez pas vous plaindre en disant que vous n'avez pas la Grâce. Vous êtes nombreux à dire que vous voulez l'éveil, l'illumination, et à choisir autre chose. Encore une fois, quel est votre choix ? Si vous vous dites : « Je veux l'éveil » et que vous choisissez l'ego, ne jetez la faute sur personne si votre *sadhana* ne semble pas porter ses fruits. Ouvrez votre cœur, pardonnez et faites des choix, et la transformation aura lieu.

Alors, vous aimerez et vous sentirez que vous êtes aimé. Jour après jour, vous ressentirez une plus grande joie et vous ouvrirez grand les portes de votre Soi Supérieur. Lorsque votre Soi devient plus accessible, la joie prend naturellement plus de place. À l'inverse, l'ego ferme ses portes. Allez-vous inviter votre Présence JE SUIS à se rapprocher de votre vie quotidienne, de votre personnalité ?

Grâce à l'Amour, vous pouvez facilement élever votre vibration. Vous disposez de nombreux outils intérieurs. La respiration, les anges, les maîtres ascensionnés vous mèneront à ce moment unique, à l'instant présent. Si vous désirez faire pleinement l'expérience de vous-même, de votre propre potentiel, vous n'avez qu'un seul choix: fusionner avec votre Soi Supérieur. Seul l'Amour peut attirer votre Soi Supérieur. Pour attirer votre Présence JE SUIS vers vous, vers votre personnalité, il n'y a rien d'autre que l'Amour. Lorsque vous serez libre, vous aurez de la facilité à aimer.

Souvenez-vous qu'il est facile de retomber dans les vieux schémas; soyez attentif. Ayez la volonté de vivre dans la Lumière. Votre ego fera naître des sentiments et des émotions pour vous faire croire qu'il a raison. Généralement, l'ego aime se justifier pour vous persuader, par divers moyens, qu'il répond exactement à vos besoins. En manipulant constamment vos sens, il cherche à vous maintenir à un niveau de fréquences basses.

Soyez attentif. Il est de votre devoir de le maîtriser, de choisir. Allez au-delà de ces émotions pour faire enfin l'expérience de la gloire divine. Si vous maîtrisez vos sens, votre conscience s'élèvera. Ainsi, vous cesserez de nourrir de basses vibrations. Les vieux schémas disparaîtront. C'est ainsi que vous choisirez la liberté et que le pardon deviendra un processus facile.

Nourrir les émotions avec le mental épuise vos sens. Quand vous pardonnez, vous pouvez facilement vivre et aimer sans condition. Vous arrivez à vivre pleinement dans le présent. L'ego voit alors qu'il n'est plus nourri. L'introspection n'en demeure pas moins importante. N'hésitez pas à sonder vos sentiments pour déterminer s'ils viennent de la peur ou de l'Amour.

Souvent, lorsque nous pardonnons, nous pensons être dans le vrai, en accord avec le Soi. Mais en fait, il ne s'agit pas de gagner ou de perdre — il n'y a ni bon, ni mauvais, ni bien, ni mal. Soyez simplement complètement transparent : pardonnez pour pardonner et aimez pour aimer.

Chapitre 6

Maîtrisez votre mental

Plus votre mental sera pur, mieux vous vous porterez.

Si vous êtes résolu à vous occuper réellement de votre mental, tournez-vous vers l'intérieur et permettez à la Shakti d'éveiller votre puissance intérieure. C'est ainsi seulement que vous pourrez maîtriser le mental. Votre mental a sa Grâce propre, mais lorsque vos pensées composent votre seul univers, vous tombez dans le piège de l'illusion. Le mental est à la fois votre meilleur allié et votre pire ennemi. Il peut être un obstacle énorme dans la connaissance du Soi, car il a le pouvoir de dissimuler votre Soi Supérieur.

En vous libérant de lui, sa Grâce se révélera. Le mental peut vous faire croire que vous n'avez pas de valeur, que vous devez vous faire du souci, que vous êtes loin de Dieu. Il fait ainsi naître en vous un sentiment de séparation. Toutefois, il vous faut savoir que s'il est bien alimenté, il peut vous aider à vous unir à votre Soi Supérieur. Le mental est une source de servitude comme de libération, de dualité comme de liberté, de mal comme de bien, de faux comme de vrai, de tristesse comme de joie.

Si vous voulez progresser vers l'éveil de votre puissance intérieure, il est essentiel d'étudier le mental. Vous devez vous demander qui l'active. Le mental se tourne toujours vers l'extérieur ; c'est sa seule préoccupation. Il a oublié comment aller vers l'intérieur, comment fusionner avec le Soi et faire rayonner sa Lumière et son Amour. Voilà pourquoi nous méditons : pour maîtriser le mental et l'habituer à se tourner vers l'intérieur. Ainsi, le Soi brille à travers le mental. Ce n'est que dans le calme que les sens s'effacent et que le Soi peut briller. Vous puisez alors dans votre Divinité, dans « l'instant présent », dans la Présence.

La valeur du mental est indicible et infinie. Vous savez certainement que lorsque le mental disparaît, tout disparaît. Telle est sa valeur et sa puissance. Sa Grâce est nécessaire ; aussi, demandez à votre maître spirituel de vous accorder la force. Lorsque votre mental est fort et calme, le monde extérieur n'a pas de prise sur votre Être. Un mental sain et vigoureux a une valeur inestimable. Plus votre mental est pur, mieux vous vous portez. Vous éprouvez une joie extrême dès que le mental s'apaise ; cessent alors l'agitation et l'inquiétude. Sachez qu'un mental turbulent est faible, mais qu'un mental apaisé est une grande source de puissance. Aucune autre situation ne vous procure une telle joie.

N'essayez pas de le contrôler ; ce serait pire. C'est lui qui vous contrôlerait et vous seriez perdu. Pour vivre en paix, comprenez-le, nourrissez-le, connaissez-le. Il n'est qu'une vibration, une forme contractée de la pure conscience, du Soi qui a créé l'univers. Il est la pure énergie de la Création.

En tant que forme contractée de la conscience, le mental crée des pensées à l'infini, tout comme la conscience crée des univers. La conscience prend la forme du mental et des pensées, et c'est ainsi que vous créez votre propre monde, ce monde du mental, un monde faux et irréel. La plupart du temps, vous avez peur de la puissance de votre mental. Votre monde est alors un monde créé par le mental, rempli de souvenirs personnels qui ne tiennent qu'à un fil.

Quand le mental est instable, rien n'est stable en vous. Il a une nature vagabonde. Mais vous pouvez le maîtriser : portez votre attention ailleurs, dans l'espace au-delà de lui, dans la conscience pure. Je vous invite à refuser toutes les pensées qui ne vous conviennent pas. Demeurez seulement avec la Présence JE SUIS et oubliez tout le reste. Bien sûr, au début, le mental va se rebeller. Ne vous laissez pas distraire. Persévérez, patientez, ne vous découragez pas. Soyez témoin et ne faites qu'un avec le

Soi. Votre Soi véritable n'est pas agité : il est paix, Amour et Lumière. C'est uniquement parce que le mental s'agite que le reflet du Soi paraît agité.

Apprenez à reconnaître vos peurs

Le temps est venu de faire évoluer votre Être vers plus de clarté et d'Amour. Pour cela, il est nécessaire d'affronter, de résoudre et de transmuter ce qui fait obstacle : la peur. Rappelez-vous que mon rôle est de vous inciter à regarder en face tout ce qui vous barre la route afin de voir les obstacles sous un éclairage différent. Sachez que la peur est une illusion, une construction de votre mental. Voyez combien vous accordez inutilement de l'importance à vos réactions émotionnelles, au point, parfois, de surestimer la taille des obstacles auxquels vous faites face.

Si vous persistez néanmoins à choisir les mêmes schèmes de comportement et de forme-pensée, je ne peux vous offrir que mon Amour. Votre ego a effectivement la capacité exceptionnelle de raviver les vieilles rengaines en les faisant paraître nouvelles. Croyez-moi, c'est souvent la même histoire sous un autre visage. Soyez sur vos gardes. Cette nouveauté, que vous considérez comme un progrès, est très souvent une ruse ou une manipulation du mental égotique, son mécanisme de survie.

Si vous êtes résolu à vaincre vos peurs, j'ai une proposition à vous faire : placez-les bien en face de vous. Prenez le temps de reconnaître aussi précisément que possible les peurs, les préoccupations et les obstacles que vous voyez. Vous pouvez prendre des notes au besoin. Faites-les sortir de votre corps à travers le mental. Veillez à repérer l'élément dominant qui semble être à la source de plusieurs de vos peurs. Une fois que vous les verrez clairement, il serait bon de le proclamer haut et fort à la face de l'univers. Je le répète, soyez aussi précis que possible. Votre clarté a une incidence directe sur les résultats.

Le mental a sa Grâce propre

Oui, le mental a sa Grâce propre. Le mental est un aspect contracté de la conscience, et la conscience est Grâce. Tout dans l'univers créé vient d'elle. La différence entre le Soi et le mental est que le Soi brille de sa propre Lumière, alors que le mental et l'ego en sont séparés, bien que des étincelles de Lumière et de conscience les illuminent.

Le mental est capable de penser grâce au Soi et à la Lumière du Soi. C'est par la Grâce du Soi que le mental peut penser. Demandez cette Grâce. Le Soi est celui qui connaît, c'est le Témoin.

Les pensées vont et viennent comme les nuages dans le ciel, et le ciel n'en est pas troublé pour autant. De même, le Soi est comme un miroir : un jour, vous lui offrez un visage souriant et joyeux; le lendemain, un visage déprimé. Le miroir en sera-t-il transformé ? Non. De même, l'immensité, la conscience, le Soi ou l'Absolu, toujours présents en vous, ne sont jamais affectés par tout cela. Tout est simple. Ne prêtez aucune attention à vos pensées. Centrez-vous sur l'Absolu, et le mental se calmera, faute d'attention. Le Soi Supérieur se révélera alors tout naturellement.

Si vous utilisez un mantra tel que *JE SUIS Lumière, So Ham* ou *Om Namah Shivaya,* associez-le au rythme de votre inspiration et de votre expiration, et écoutez. Je vous promets qu'en peu de temps, vous récolterez le nectar de votre méditation. Le mantra vous conduit directement dans votre monde intérieur. Quand le corps et les sens sont apaisés, le mental se calme. Et pour le stabiliser, il est très important de rester assis sans bouger et de garder le dos bien droit.

Comment faire taire le mental

Dieu se trouve juste en face de vous. Voyez Dieu, regardez-Le. Méditez, soyez serein et joyeux. Permettez à la joie de transformer ce qui doit être transformé. La raison d'être de la méditation est de faire l'expérience de la vérité intérieure, de découvrir l'Éternel en soi et de recevoir la bénédiction, le darshan du Divin intérieur. Ensuite, tout au long de votre vie, attachez-vous totalement à cette Divinité.

Ne méditez pas pour vous réaliser, c'est déjà fait. Méditez pour calmer le mental qui vous retient prisonnier. Le mental est si fort qu'il fait obstacle, à raison d'une nouvelle pensée chaque fraction de seconde. Lorsque vous êtes en accord avec ces pensées, vous êtes heureux. Lorsque vous avez des doutes, vous vous sentez très malheureux. Le piège du mental se referme à nouveau sur vous.

Soyez joyeux. Voilà la clé !

Un jour, une femme m'a appelée: «Sai Maa, je suis si heureuse. Je vais vivre avec Untel.» — «Oh!», me suis-je exclamée, «le connaissez-vous?» — «Oh oui, Sai Maa!» m'a-t-elle répondu, «il est tout à fait charmant.» J'ai alors ajouté: «Vous connaissez-vous vous-même?» Silence. Je n'entendais plus que sa respiration. Voyez à quel point nous sommes faibles et fragiles quand le mental dirige nos vies!

Récemment, j'ai passé une heure au bord de l'océan à regarder les vagues se succéder comme des pensées qui déboulent dans le mental. Le mental dirige notre vie, constamment occupé à vouloir, à faire.

Dans le mental, il y a le pire et le meilleur. Que voulez-vous accomplir? À vous de choisir. Le mental tentera de vous éloigner du Divin: maîtrisez-le et faites-le taire, car il est impossible de lui faire confiance. Permettez à la Grâce du Divin de calmer les mouvements du mental et vous ferez ainsi l'expérience de votre liberté intérieure.

Chapitre 7

Tout est en vous !

Voyez en vous la Lumière du Christ,
la Lumière de Bouddha, de Moïse,
de Mahomet et de tous les grands Êtres.
Revendiquez-la.

Tout est en vous !

Sachez que vous êtes l'incarnation de Dieu.

Les êtres humains passent leur temps à regarder au-dehors en oubliant que le temple de Dieu est dans leur cœur. Le temps est venu de tourner votre regard vers l'intérieur, de l'explorer et de vous relier à vous-même. Le temps est venu d'atteindre la maîtrise, d'être pure splendeur et de faire rayonner votre Amour et votre Vérité.

Il est temps d'ancrer les qualités divines qui sont en vous. Évoquez consciemment tout ce que vous avez toujours voulu être. Faites émerger ces qualités de l'intérieur pour qu'elles deviennent réalité. Tout est en vous : la Sagesse, l'Abondance, la Vérité, la Lumière et l'énergie de guérison pour vous et pour les autres. Tout cela est en vous.

Sachez que tout ce que vous voyez en moi est à votre portée : pour être cela, revendiquez-le ! Pour vivre le même état, faites-le rayonner ! Il ne s'agit que de conscience et d'attention. Il s'agit uniquement de vous ouvrir, de recevoir, d'activer, d'ancrer, de revendiquer. Dans cette vie, il n'est question que de vous et non des autres. La vie, ce n'est pas toutes ces choses auxquelles vous êtes attaché. La vie, c'est vous, quand vous découvrez, exprimez, revendiquez qui vous êtes. Votre mental ne possède rien qui puisse vous aider à comprendre la réalité et la vérité de votre Être, son immensité et sa puissance.

Répétez intérieurement :

JE SUIS l'incarnation du Divin.
JE SUIS l'incarnation du Divin.
JE SUIS l'incarnation du Divin.

JE SUIS la Résurrection et la Vie.
JE SUIS la Résurrection et la Vie.
JE SUIS la Résurrection et la Vie.

JE SUIS la Vérité.
JE SUIS l'Amour.
JE SUIS l'Abondance.
JE SUIS Tout ce qui est.

Laissez la joie divine vous remplir. Laissez l'Amour divin vous remplir. Laissez la paix divine être votre réalité.

Sachez qu'il n'y a pas de séparation entre vous et votre dimension divine. Ce sont vos choix qui créent la séparation, mais ce n'est pas la réalité. Voyez en vous le feu sacré. Voyez en vous les flammes du feu sacré. Allez dans votre cœur vers l'atome permanent, trouvez la Flamme violette pour la répandre dans votre corps, à l'intérieur de vos organes, de vos glandes, de vos chakras, et sentez-la brûler dans votre cerveau. Répandez-la aussi dans tous vos corps subtils et dans votre aura.

Voyez en vous le feu sacré et sachez que c'est la Vérité. Voyez en vous la Lumière du Christ, la Lumière de Bouddha, de Moïse, de Mahomet et de tous les grands Êtres. Revendiquez-la !

Maintenant, identifiez-vous consciemment à la réalité que vous choisissez d'incarner dans cette vie. Appelez en toute connaissance de cause la Vérité que vous choisissez d'incarner dans cette vie. Ancrez intentionnellement la réalité que vous choisissez d'appeler dans cette vie. « JE SUIS ce que JE SUIS. JE SUIS l'incarnation du Divin. JE SUIS le feu sacré de l'Amour du Christ. JE SUIS l'univers. » Utilisez l'enseignement « JE SUIS Cela, Tu es Cela, Tout ceci n'est rien d'autre que Cela ».

La discipline est une porte vers cette maîtrise. L'attention en est une autre. De même que la dévotion. Demandez, et la porte s'ouvrira. Vos guides spirituels peuvent vous accompagner presque jusqu'au bout du chemin, mais vous devez choisir de franchir la porte. L'attention consciente. Le choix. Soyez dans le monde, mais non de ce monde. Soyez un Être de Lumière, mais ne soyez pas prisonnier de la troisième dimension ; soyez un Être multidimensionnel. N'essayez pas de remplir le vide laissé par une enfance malheureuse. N'essayez pas de trouver ce que vous n'avez pas reçu alors, comme s'il vous manquait quelque chose. Tout est en vous. L'Amour que vous recherchez, c'est à vous de vous le donner.

Vous n'avez besoin de personne pour vous aimer. Votre essence est Amour. L'Amour, c'est tout ce que vous êtes. Vous nagez dans un océan d'Amour, vous êtes saturé d'Amour. Vous nagez dans un océan de Lumière, inondé de Lumière. Vous nagez dans un océan d'Abondance, saturé d'Abondance. Vous nagez dans un océan de pure Shakti, de pure énergie, vous êtes saturé d'énergie, rempli de Shakti. Vous êtes la conscience dans un océan de conscience.

Vous êtes l'incarnation du Divin en train de se souvenir. À ce stade, il peut se révéler très utile de vous poser ces questions : « Qu'est-ce qui est réel ? Qu'est-ce qui est vrai ? » Ne vous laissez pas mener par les habitudes ni par les systèmes de croyances. Ne limitez pas la Vérité de qui vous êtes. Ne vous limitez pas à votre corps ni à vos sens. Tout cela appartient à la réalité de la troisième dimension. Percez les voiles de l'ignorance et soyez conscient du feu sacré, de la Shakti de Mère Kundalini. Faites monter cette Shakti à travers tous vos chakras, depuis le chakra racine jusqu'au chakra coronal. Faites monter la Shakti au-dessus de votre tête, jusqu'à votre Présence JE SUIS. Ouvrez-vous à Cela et exprimez Cela.

C'est cela, l'attention consciente et le choix.

Chapitre 8

Le pouvoir de transformation par la méditation

Nourrissez le mental de la vérité suprême,
goûtez la Présence divine et
soyez amoureux de Dieu.

La méditation a pour but de faire naître en nous une joie, une paix et un contentement intérieurs. Tous nos sens sont apaisés et nous n'avons conscience que de leur félicité, de l'existence, de la conscience et de la félicité de *Sat-Chit-Ananda*.

La méditation est un état naturel, une expérience qui vous permet de découvrir votre Être intérieur. Quand vous vous asseyez pour méditer, vous n'avez rien à faire. Laissez la joie venir naturellement. Commencez toujours votre méditation avec la conviction absolue que vous chérissez votre Lumière divine. En faisant cela, vous pourrez pénétrer votre Être, votre cœur intérieur.

Méditer, c'est grandiose. Grâce à la méditation, vous réalisez qui vous êtes vraiment. Méditez avec Amour. La méditation vous fait accéder à d'autres niveaux de conscience. Ce peut être très subtil, mais vous verrez des changements dans votre vie quotidienne. Ce n'est qu'en méditant que vous pouvez voir votre Lumière intérieure devenir de plus en plus brillante. Avec la méditation, toutes les limitations disparaissent. L'ensemble corps-esprit se modifie et vous faites l'expérience de vos vertus. Le mental subit également un changement vital.

Chaque instant au cours d'une méditation est différent. Vous pouvez même croire qu'il ne se passe rien. Sachez qu'il se passe toujours quelque chose. Dès que vous commencez à méditer, votre Être intérieur commence à s'épanouir. Ce processus est même indépendant de votre volonté. Votre puissance spirituelle vous élève à différents niveaux et vous transforme, et c'est à travers cette connaissance spirituelle que commence l'illumination, l'éveil.

La méditation a une puissance et une Grâce qui lui sont propres. Vous pouvez invoquer cette puissance et cette Grâce après vous être retiré dans le silence. Dès que vous devenez conscient, il se produit un éclat, un flux, une libération — et votre énergie se transforme.

Un conseil utile : au lieu d'entretenir des pensées de toutes sortes lors de la méditation et de tenter par tous les moyens de les chasser, respirez la conscience « JE SUIS aimé, JE SUIS pur, JE SUIS félicité, JE SUIS Cela ! » Cultiver l'action juste qui accélère votre évolution, le *dharma* en soi et autour de soi, est une façon pratique de retirer rapidement des bienfaits de la méditation. Laissez passer vos pensées sans y accorder d'attention ; c'est le meilleur moyen de demeurer dans la conscience.

Plongez profondément en vous

Quand la joie véritable, la paix, le contentement et l'Amour auront été révélés dans votre univers, vous aurez une tout autre vision du monde. Vous pourriez même faire semblant d'être en colère tout en sentant pétiller en vous une joie et un Amour sereins.

Pour vivre l'Amour et la joie, ne retenez qu'une seule chose : plongez profondément en vous. Les trésors intérieurs vous appartiennent, et personne, absolument personne, ne peut vous les enlever, car ce sont les attributs de la puissance du Soi Supérieur. Ils vont transparaître naturellement dans votre vie quotidienne. Alors vous ne saurez que donner. Votre cœur baignera dans l'abondance divine dont le flot s'écoule puissamment dans l'univers. Vous serez ivre d'extase, car cet état est la nature même de Dieu ou de la Source. Cette félicité, cette extase, est gravée dans chacun de vos atomes. Élargissez votre vision afin de faire l'expérience d'une conscience suprême, divine, abondante, gracieuse, et tout vous sera donné.

Pour vivre l'expérience du Divin, évitez les distractions, car vous ne pouvez avoir les deux. C'est l'un ou l'autre. En créant cet espace, vous recevrez tout sans même le demander. Ainsi, vous contribuerez à transcender ce monde, tout en participant à ses activités et en assumant les responsabilités matérielles ordinaires qui lui sont inhérentes. Maintenez votre attention sur le Soi. Restez toujours centré. Ce monde peut être glorifié par la Grâce du Soi mais, pour cela, choisissez le non-attachement aux distractions du quotidien.

Je vous observe parfois. Vous rêvez de vous élever jusqu'à la noblesse de votre Soi Supérieur, mais vous passez votre temps avec des gens marqués par la bassesse de l'esprit, qui souvent veulent vous contrôler et vous manipuler. Vérifiez si ces personnes sont motivées par des valeurs artificielles. Au lieu de vous laisser influencer, soyez fort et avancez sans peur dans votre *sadhana*. Cette voie demande une attention et une conscience constantes pour vous permettre de discerner les choix appropriés et les changements radicaux à effectuer.

Intériorisez-vous. Lorsque vous rentrez chez vous après une journée de travail, gardez le silence. N'en faites pas trop. À ce moment, plongez pour retrouver les trésors en vous. Nourrissez votre mental de vérité supérieure, goûtez la Présence divine et soyez amoureux de Dieu. Si vous aimez votre maître spirituel, considérez-le comme votre Être le plus cher. Vous verrez alors les illusions du mental se consumer dans le feu de votre pratique.

La puissance du mantra

Le mantra est un ensemble de syllabes sacrées évoquant un Être divin ou le nom de Dieu. Chaque mantra est unique; ce sont des mots imprégnés d'une puissance divine. Les mantras ont un tel impact qu'ils peuvent guérir et surtout apaiser le mental. Plus vous vous concentrez sur un mantra, plus vous en retirez de bienfaits. Un mantra, c'est Dieu en paroles, en sons et en vibrations. Dieu est votre essence, et le fait de répéter consciemment un mantra vous aide à vous rapprocher de Lui. Un mantra répété avec une foi totale mène à Dieu et peut vous donner l'expérience de la réalisation divine.

Il est important de s'abandonner au mantra, d'aimer le mantra et Dieu avec une foi totale. Quand le maître spirituel donne un mantra, il l'active avec sa Shakti. Saisissez cette occasion unique de le recevoir, car l'Amour d'un tel Être est précieux et le pouvoir de la Shakti sera véritablement à votre service.

Posez-vous la question: «Que suis-je prêt à donner au mantra?» Vous êtes-vous engagé envers le mantra? Rappelez-vous qu'un mantra est la vibration, la forme informe de Dieu. Le mantra aidera votre mental à se fixer sur la Lumière. Parfois, le mantra s'accompagne de consignes spécifiques que je vous invite à respecter. Mettez ces consignes en pratique, soyez sincère, et disposé à changer pour ainsi permettre au mental d'être illuminé par la Lumière du mantra.

La dévotion, la *bhakti,* est de la plus haute importance dans la répétition du mantra. Vous pouvez dire le mantra à voix haute, mais sachez que certains doivent être répétés en silence. Soyez totalement conscient et présent au mantra. Plus vous le répéterez, plus il fera partie de vous et plus vous vous en rapprocherez. Répétez votre mantra aussi souvent que possible ; ayez toujours aux lèvres le nom de Dieu ; ainsi, vous n'aurez que des pensées et des paroles divines.

Cela finira par devenir naturel et vous inclurez le mantra dans toutes vos activités. Dans les moments intenses de la voie spirituelle, la *sadhana*, le mantra apporte beaucoup de joie, d'Amour, de force et de paix. Il vous permet de plonger de plus en plus profondément en vous et de jouir de l'extase cosmique du Divin que vous êtes.

Le mantra atteint des niveaux d'énergies divines. Il est l'un des éléments les plus importants de la *sadhana*, le fondement de votre pratique. Je dirais même qu'il est la source de tout ce que vous faites ou voyez sur ce plan de même que dans l'univers. Le mantra est le son divin émanant du Créateur Père-Mère. Ce son peut être de la musique, des chants, des voix humaines, le vent, les oiseaux, l'eau, les tambours, les harmoniques, ou même votre respiration.

Les mantras sont composés de lettres divines tout autant que de sons divins. Prenons l'exemple du mantra So Ham. L'inspiration est « So », l'expiration est « Ham ». Quelle beauté, quelle abondance, quel son divin ! C'est la puissance de votre son intérieur, la puissance de So Ham, du son qui crée les univers. Avez-vous déjà réfléchi à l'utilisation des sons et des lettres sur ce plan ? Un mantra est le Suprême, le Soi, Dieu, dans la totalité de Son Être.

Vous ne pouvez rater le train de la libération si vous répétez votre mantra consciemment, avec une dévotion totale. C'est la voie la plus rapide pour fusionner avec Dieu, et c'est aussi la plus facile si vous répétez durant une longue période le mantra ; c'est ce qu'on appelle pratiquer le *japa*. Votre attention est alors constamment fixée sur le nom et la parole du Divin ; vous ne pouvez que faire le bien et vos pensées ne peuvent qu'être divines.

Le mantra diffuse sa puissance et tout son potentiel dans l'univers. Mais comment répétez-vous ce puissant mantra ? Vous absorbez-vous en lui ou pratiquez-vous le *japa* mécaniquement pendant que le mental est occupé à autre chose ? Comprenez-vous le sens, la signification réelle de ce mantra ? Êtes-vous présent ? Êtes-vous conscient ?

Vous identifiez-vous au mantra ? L'activez-vous véritablement, fait-il partie de votre respiration ? Le mantra a le pouvoir de vous transformer si vous mettez en pratique la compréhension juste. Le mantra n'a qu'un seul objectif très clair : vous aider à transcender et à ne faire qu'un avec le Transcendant.

Répéter un mantra en conscience constitue un détergent puissant, grandiose et divin pour la totalité de votre Être, pour votre corps physique comme pour vos corps subtils. Le sang est purifié et la dépression disparaît aisément avec la pratique du *japa*. Certes, si vous manquez de foi, il n'aura aucun effet, mais sachez que la puissance de Dieu est dans le mantra. C'est le langage le plus puissant pour vous transmettre le pouvoir des mots transmis par les maîtres spirituels.

Lorsqu'un mantra divinise votre mental — il a une telle Shakti —, comment votre conscience pourrait-elle ne pas en être transformée ? Et combien de pensées, d'émotions et d'actions passées négatives, de *samskaras* peuvent être dissous simplement par le *japa* ? Le mantra est vivant ; il a le pouvoir, la capacité et la responsabilité de transmuter votre mental, vos impuretés et vos formes-pensées négatives, et de faire de vous un Être totalement divinisé.

Si vous trouvez que vous répétez votre mantra depuis longtemps sans résultat, demandez-vous s'il s'agit d'un mantra inerte ou vivant. Certains d'entre vous me disent :

« J'ai changé de maître spirituel, Sai Maa. Quel mantra devrais-je utiliser maintenant ? » Les mantras ne sont pas des vêtements ; vous n'en changez pas tous les jours ou chaque fois que la personnalité veut changer. Le nom du Divin est le nom du Divin !

Très souvent, après avoir reçu un mantra, vous avez l'impression que c'est un nouveau départ. Force, puissance, beauté, sécurité, félicité, Grâce et nombre d'autres qualités se manifestent activement dans votre conscience intérieure. La Shakti autrefois latente est maintenant active en vous ; le mouvement, le Permanent, le Soi et le Divin commencent à s'activer en vous. C'est une naissance.

Je vous invite à cultiver consciemment une saine dépendance au mantra. Le mantra est en tout et partout. Commencez ainsi : mangez-le, buvez-le, pensez-y, jouez avec lui, aimez-le. Tout ce que vous voyez est mantra ; tout ce que vous entendez, tout ce que vous dites est mantra. Imaginons que vous choisissiez de monter sur le toit pour vous élever : vous avez besoin d'une échelle, puisque vous êtes au sol. Dans votre pratique spirituelle, cette échelle, c'est le mantra.

Utilisez votre mantra pour élever votre conscience et vous rapprocher du Soi. Ne faites aucune différence entre le mantra et votre Soi Supérieur. Le mantra a le pouvoir absolu de diviniser les organes, les glandes, les corps subtils, la parole et tout votre Être jusqu'à ce que vous reposiez à nouveau dans la conscience pure. Avec le temps, il se peut même que vous entendiez le mantra se répéter de lui-même en vous.

Vous vous demandez souvent comment répéter le mantra, comment faire le *japa*. Concentrez votre mental sur le bout de votre langue, c'est là une source de vibrations à haute fréquence. Les vibrations se propagent de la langue au chakra de la gorge, puis à celui du cœur et ainsi de suite à tous les autres chakras. À l'instant où le mantra imprègne tout votre Être, chacune de vos paroles devient un mantra ! Même si vous réprimandez quelqu'un, c'est un mantra. Lorsqu'un humain transmet sa Shakti, cette Shakti pénètre dans l'aspirant ou le disciple, dont l'existence est transformée à jamais. C'est un monde nouveau !

Il y a avant et après le mantra. Quand vous répétez un mantra, votre conscience intérieure est active ; elle n'est plus endormie. Pour retirer un vrai plaisir de votre voie spirituelle, la *sadhana*, le mental et le corps doivent être purs ; alors seulement, vous vivez dans la béatitude spirituelle, l'*ananda*. Le mantra purifie le mental et le corps. Souvent, nous utilisons le mantra *Om Namah Shivaya*, qui purifie en un rien de temps.

Laissez le mantra et sa puissance prendre de l'expansion dans les cellules de votre corps. Laissez-le saturer votre cœur et votre mental. Le mantra est une puissance vivante ; il est le *prana*, la force vitale. Votre mantra est le Soi ; il ne fait aucun doute qu'il transcendera votre conscience individuelle jusqu'à la conscience du Soi et de la vérité. Tel est son rôle.

Les fruits du mantra sont pur délice et pure félicité. Répétez-le avec Amour et vous traverserez cette existence avec grande aisance, avec Amour, avec une foi totale.

Méditer régulièrement est la clé

Méditez. Gardez le silence. Respirez le mantra *So Ham* jusqu'à vous perdre en lui. Le mantra vous emportera jusqu'à sa Source, le Suprême qui est en vous. Dans cette victoire de l'Amour se trouve le souvenir de notre Unité. La grandeur de ce souvenir vient du fond du cœur.

Pénétrez avec courage dans l'inconnu, dans ce lieu sans référence. Tout Ce Qui Est se trouve dans cet espace, l'Unité, la liberté, l'Amour, la félicité, la Lumière, la vraie vie. Vous vivrez beaucoup d'expériences ! Ne vous y attachez pas. Continuez de méditer. Toutes sortes de teintes lumineuses apparaîtront ; allez au-delà, allez jusqu'où il n'y a plus rien. C'est là.

Méditation sur le Divin

Âme Bien-aimée,

L'Amour Pur est l'Amour divin,
L'Amour de Dieu.
L'Amour de Dieu est Grâce,
L'Amour de Dieu est Puissance,
La nature de Dieu est Amour,
L'Amour de Dieu est Compassion.
Dieu vous regarde toujours
avec des yeux d'Amour.
Soyez Dieu.
Regardez les autres et
regardez-vous avec des yeux d'Amour.
Dieu est Pur.
Le Soi est Pur.

Cette pureté est à l'intérieur de vous tous, qui que vous soyez : professeur d'université, mendiant, ignorant, servante. Méditez sur cette pureté, sur cette Divinité et vous vous imprégnerez de ce sur quoi vous méditez avec Amour.

Faites un effort, cherchez et vous trouverez le trésor. Comme vous emmenez votre Soi Supérieur partout où vous allez, il vous est très facile de méditer sur Cela. Méditez, où que vous soyez. Peu importe qui vous êtes ou ce que vous avez fait. Méditez sur votre Soi. La liberté et la libération résident dans la méditation, dans le seul espace où vous maîtrisez le mental et où vous vous retrouvez face à vous-même.

Vous cherchez la paix un peu partout à l'extérieur de vous-même, parce que vous ne connaissez pas votre valeur réelle, la perfection qui est en vous. Le Soi Supérieur vous donnera l'expérience de la connaissance ; il vous donnera tout. En méditant sur votre Soi, vous serez amoureux de Dieu. Méditez avec un profond sentiment d'Amour, de pureté et d'abandon. C'est cela, la Grâce.

Très souvent vous me dites que vous êtes très heureux parce que vous êtes amoureux de X ou d'Y ; cela dure quelques jours, quelques semaines ou quelques mois, puis vous êtes triste. Je vous suggère d'être amoureux de la vie dans sa plénitude : soyez amoureux de la vie et vous ne serez jamais triste. Faites-moi confiance, méditez. Il existe en chacun une force d'Amour, de joie extraordinaire et un océan de félicité. Le corps et le mental doivent être calmes et posés. Entrez en méditation pour vivre cet état dans sa plénitude. Ne faites rien, afin que cet état, cette conscience, se révèle à vous.

La conscience de la Présence

C'est bien d'avoir des visions, mais ce n'est absolument pas nécessaire. Vous ne méditez pas pour avoir des visions, vous méditez pour être en paix. Le plus important est la tranquillité naturelle et la joie intérieure. Quand tout est calme, la félicité jaillit d'elle-même. Il suffit d'être conscient du présent, du précieux instant présent.

Dans cet état de conscience, vous êtes dans la félicité sans raison extérieure. Cela vient de l'intérieur, de votre Soi, de votre Divinité, de votre Présence. Honorez sans cesse votre Soi et ayez conscience de cette Présence qui est Dieu.

Chapitre 9

La méditation et autres techniques (*Sadhana*)

Plus vous vivez dans la vibration de Dieu,
plus les vibrations divines
émanent de votre Être.

La méditation et autres techniques (Sadhana)

Allez vers la pureté.

La voie spirituelle, la *sadhana*, permet d'aller du monde intérieur au monde extérieur, et inversement. C'est une attitude constante, une discipline physique et mentale. Par la pratique de la *sadhana*, vous prenez conscience que, tout en vivant dans le monde, vous n'êtes pas de ce monde. Cela vous permet de vivre mieux, car en observant votre mode de vie de l'intérieur, vous pouvez l'améliorer et l'affiner en toute conscience.

Vous pouvez inclure à votre *sadhana* la concentration, la contemplation, la méditation, le chant dévotionnel, le silence, de même qu'une activité physique comme le yoga. La *sadhana* vous fortifie et purifie tout votre Être en vous faisant passer du brut au subtil. Au cours de la *sadhana*, vous prenez conscience du but de votre vie, de votre mission.

Vous ressentez aussi un grand contentement qui vient du plus profond de votre Être, de votre Dieu intérieur. Ce contentement, c'est l'*amrit*, l'élixir qui vous rajeunit, qui redonne de l'énergie à tout votre corps et qui intensifie votre Amour pour le Divin. Ce contentement vous donne le sentiment d'être un adepte, puis un disciple spirituel. Votre foi grandit et tout votre Être, aussi bien les corps subtils, que le mental et le corps physique, devient plus fort.

L'Être Suprême intérieur

Développez votre foi dans votre *sadhana*. Grâce à cette discipline, vous maîtrisez vos sens et vous pouvez aisément découvrir le maître en vous. C'est alors que vous devenez témoin de l'illusion (la *maya),* du spectacle du monde terrestre. Vivre ainsi vous confère un grand pouvoir ; chacune de vos actions et de vos pensées peut dès lors transformer votre expérience de la vie.

La voie spirituelle est aussi dispensatrice d'abondance, une porte qui mène à la Grâce. Plus vous acceptez de vivre dans la joie, plus cette porte s'ouvre. C'est l'immense puissance de la Grâce qui vous accorde la joie sublime menant à la transcendance. Vous vivrez alors dans une Shakti qui vous aidera à dépasser les attachements au monde terrestre, une voie dans laquelle vous vous êtes engagé par ignorance, parce que vous n'avez pas su discerner l'éphémère de la vérité. Dorénavant, vous vivrez la gloire, la victoire, la magnificence, la beauté, l'abondance, l'Amour, la Lumière et la paix.

La *sadhana* vous rappelle de toujours surveiller vos paroles, vos actions et vos pensées. Comment pourrez-vous élever votre conscience vers la dignité et la noblesse si vous choisissez de vivre à un niveau de vibrations inférieur ? La *sadhana* vous fera abandonner les bavardages inutiles et les activités aux vibrations basses. Elle vous mènera à l'Être Suprême invisible qui vous guide et vit en vous comme en chacun de nous. Il est rempli de savoir, de sagesse, d'Amour, de Lumière, de compassion et de tolérance.

La **sadhana** ***est un état naturel***

La *sadhana* n'a rien de difficile. C'est un état parfaitement naturel. Elle exige d'aimer totalement Dieu ou votre maître spirituel et d'avoir une foi totale en votre mantra. Si vous n'avez pas été initié à un mantra, utilisez « So Ham ». Utilisez la dévotion, l'abandon ou toute autre pratique de votre choix, et surtout, soyez conscient. La conscience est la clé.

Soyez enthousiaste, de bonne volonté et réellement engagé dans votre *sadhana*. Aimez sans désir ni attente, servez chacun avec Amour. La *sadhana* est naturelle et facile. La méditation est un état naturel. Restez attentif et centré sur votre voie puis, peu à peu, plongez en elle.

La méditation facilite bien des choses. Si vous trouvez que la voie est difficile, sachez que les fruits de la méditation — la sérénité, la paix, la tranquillité et la concentration — viendront à vous. Jusqu'à maintenant, vous n'avez peut-être médité que sur des choses matérielles. Je vous invite à vous tourner dorénavant vers l'intérieur pour trouver les trésors qui vous y attendent. Tout comme vous percevez les objets du monde extérieur quand vous tournez votre regard vers l'extérieur, plongez en vous pour percevoir la gloire et l'immensité du monde intérieur. La vérité deviendra consciemment active dans votre vie de tous les jours, et vous trouverez alors la vie bien plus facile à vivre, car la méditation est l'état naturel de votre âme ou de votre Être. C'est alors que vous dépasserez la conscience des corps émotionnel et physique pour atteindre la conscience de Dieu, du Soi, de la Source.

Prenez le temps de méditer sur le Soi, sur l'Être invisible qui est en vous, sur le Témoin intérieur. Entrez en relation avec Lui. Intensifiez cette relation, vivez-la, chérissez-la, nourrissez-la, dévouez-vous à elle.

Les chants dévotionnels

Les chants dévotionnels nourrissent votre relation avec le Soi. Ils vous rappellent le Suprême qui réside en vous. Votre cœur s'ouvre et vous commencez à aimer librement et sans condition. Plus vous vivez avec émerveillement, plus vous prenez conscience de votre vérité, du but de votre vie sur ce plan. Chaque parole chantée d'un mantra possède un pouvoir immense. Ces paroles sacrées apportent Lumière et Amour ; elles purifient le cœur et le mental.

Le pouvoir du chant aura un effet profond sur vous, et vous commencerez à vivre dans les profondeurs de votre Être. Le seul fait de chanter les mantras peut vous guérir, car le chant redonne de l'énergie à vos cellules et revitalise vos corps subtils. Les paroles sacrées pénètrent au centre du cœur, révèlent votre essence et réveillent une joie immense.

Les obstacles à votre sadhana

Les obstacles à votre *sadhana* sont l'ego et l'attachement. Ces deux attributs vous empêchent de faire l'expérience du Soi Supérieur. Lâchez l'ego et tous vos attachements afin que votre cœur soit pur à nouveau. Vous atteindrez alors, naturellement, la sagesse suprême.

La peur est le terreau de l'ego. L'attachement est son fertilisant. Vous vous accrochez à cette fausse sécurité par peur de la solitude. Pourquoi craindre la solitude alors que l'univers entier est en vous ? Cessez de créer l'enfer. L'enfer et le ciel sont entre vos mains. N'en blâmez pas Dieu ou votre maître spirituel. Sachez que le mental est la racine de toute souffrance : maîtrisez votre mental et vous ne souffrirez plus.

Honorez-vous. Méditez sur vous. Intériorisez-vous. Votre Soi est pure félicité, pure conscience. Que voulez-vous de plus ? L'éphémère ? Pour apprendre à connaître votre Soi Supérieur, abandonnez tout ce qui ne vous est pas nécessaire.

Cultivez une attitude divine

Soyez conscient. La *sadhana* est conscience. La *sadhana* se pratique afin de maîtriser et de purifier le mental. Dès que le mental est illuminé, le Soi Supérieur se révèle.

Cultivez l'attitude qui consiste à voir la Divinité en chacun. Si vous manifestez l'Amour, vous recevrez l'Amour. Honorez les autres et ils vous honoreront. La félicité vient de la dévotion et de l'Amour pour le Suprême, car la félicité est une des formes de la Divinité et la Divinité est la félicité.

Vivez dans la vibration de Dieu

Lorsque vous vous retrouvez à deux, créez une réunion spirituelle, un *satsang*. Ensemble, vivez en Dieu, vivez dans le Soi et infusez de la noblesse dans votre pratique (*sadhana*) pour laver et purifier le mental de ses tendances impures, les *samskaras*. Permettez à cette rencontre de vous aider à vaincre la négativité d'un mental conflictuel. Le *satsang* pourra alors contribuer à vous ouvrir le chemin vers la vérité de votre existence.

Plus vous vivrez dans la vibration de Dieu, plus les vibrations divines émaneront de votre Être. Sachez que la Grâce vous modèlera et vous transformera à différents niveaux. Il se peut que vous en ayez conscience ; la Grâce œuvre à des niveaux très subtils. Ayez des fréquentations divines. Reposez-vous dans un espace qui recharge votre esprit afin d'avoir le pouvoir de faire face aux *samskaras* lorsqu'elles apparaîtront.

Souvenez-vous de Dieu le plus souvent possible : parlez, écrivez, jouez, priez, chantez des mantras, faites le *japa* et lisez pour élever votre conscience. Le nom de Dieu vous conduira à un état d'ivresse et à la félicité. Engagez-vous vraiment ; que le nom de Dieu soit toujours sur vos lèvres afin d'avoir toujours la conscience du Divin. Faites-le sans effort dans votre vie quotidienne. Avant toute chose, dédiez votre journée au Dieu qui vit en vous et offrez-lui votre quotidien. Si vous dédiez vos actions et leurs résultats à l'Intelligence Suprême, vous changerez naturellement d'attitude. La Grâce coulera spontanément, l'humilité se manifestera et vous lâcherez prise.

Une des leçons importantes à retenir est de cesser de vous identifier à votre corps et aux rôles que vous jouez. Pour changer d'attitude, soyez attentif, arrêtez de réagir, et abandonnez-vous. Remettez tout à la Shakti, à la Divinité, au Dieu en vous, et l'individualité se dissoudra dans le néant. Votre ego vous incitera à penser que c'est lui qui agit et non la Divinité. C'est pourtant le JE SUIS, la

Présence en vous, qui agit. Augmentez votre Amour pour la Source, désirez ardemment la Présence et intensifiez votre Amour pour le Seigneur. Votre libre arbitre vous permet de penser, de prier et d'aimer à tout moment, quelles que soient vos activités. Cette liberté, personne ne peut vous l'enlever. Utilisez votre libre arbitre à des fins divines ; ce choix vous revient. Personne ne peut le faire à votre place.

Faites de Dieu votre meilleur ami, votre Seigneur. Confiez toutes vos craintes et vos problèmes à Dieu avec une confiance totale. Mettez un frein aux paroles inutiles et gardez le silence pour faire taire le mental. Alors le petit « je » (le soi inférieur), l'ego et le monde disparaîtront. Et vous rencontrerez l'inconnu dans les profondeurs de votre Être. Cultivez la vertu, cultivez les bonnes fréquentations et faites les choix les plus élevés.

Sachez que vous êtes déjà réalisé. Vous avez toujours été libre, mais vous n'en aviez tout simplement pas conscience. Le matin, au réveil, vous savez que vos expériences de la nuit ne sont pas réelles, que ce ne sont que des rêves. De même, un jour, vous vous éveillerez et vous prendrez conscience de la non-réalité de ce qui était votre vie quotidienne. Vous êtes, en vérité, éternellement libre et pur, totalement illuminé. Vous êtes le JE SUIS libéré.

Chapitre 10

Vivre au meilleur de soi-même

Choisissez de réaliser la Présence en vous.

Vous êtes un Être spirituel dans un corps physique. Aussi, rappelez-vous : lorsqu'une personne raconte des mensonges sur vous, aimez-la simplement. Rappelez-vous également que, même lorsque vous faites preuve de bonté envers les autres, vous pouvez être accusé d'avoir des motifs égoïstes ; continuez néanmoins à faire le bien. Si vous avez du succès, vous vous ferez de faux amis et des ennemis ; continuez d'avoir du succès. Rappelez-vous toujours que le bien que vous faites aujourd'hui sera oublié demain ; continuez néanmoins à faire le bien. L'honnêteté et la sincérité vous rendent vulnérable. Soyez honnête et sincère. Cultivez la franchise. C'est votre puissance, votre force intérieure. Celles et ceux qui viennent demander votre aide se retourneront peut-être contre vous quelques minutes plus tard. Aidez-les tout de même, ainsi que tous les autres.

Soyez heureux. Mieux encore, rendez chacun heureux.

Donnez au monde le meilleur de vous-même !

Quelqu'un m'a posé cette question : « Quelle initiation dois-je recevoir pour connaître la Présence JE SUIS ? » La conscience du JE SUIS est Dieu ; c'est votre Être divin, votre Divinité intérieure, et aucune initiation n'est nécessaire. Choisissez ce qu'il y a de plus élevé dans votre personnalité et entrez dans la conscience JE SUIS, dans la pureté de JE SUIS. D'incarnation en incarnation, vous avez recherché l'unification de la conscience et de la personnalité. Vous avez appelé cela le Soi véritable, le Divin, le Suprême, la Source, l'univers. Toutes les religions mènent au même espace, et cet espace est en vous.

Pour faire l'expérience du principe JE SUIS, entrez profondément en vous-même et soyez dans la joie. La seule énergie qui mène au JE SUIS est la joie. C'est à vous que revient le choix de faire l'expérience de cette énergie. Si vous choisissez de ne pas vivre l'expérience du principe JE SUIS, vous serez victime de votre personnalité. Je vous invite à choisir de pénétrer dans cet espace où vous entrez en expansion avec le souffle du Divin intérieur. J'encourage chacun et chacune d'entre vous à découvrir son Soi véritable et à éviter de se laisser prendre par des initiations ou des rituels. Les rituels sont surtout excellents pour nettoyer le mental et l'éclairer, car, pendant un rituel, vous n'avez pas le loisir de penser.

Sentez le souffle de l'incarnation du Principe christique intérieur. C'est l'énergie qui synthétise et guide votre évolution. Il n'est rien de plus grand que ce souffle. Vous vous êtes incarné pour jouir de toutes les expériences terrestres, pour les bénir et bénir tous les Êtres avec l'Amour et l'illumination. En étant vous-même, avec la Lumière qui est la vôtre, vous collaborez et contribuez à l'élévation de la conscience de l'humanité. Ressentez le souffle unique de la vie, centrez-vous avec joie sur ce souffle, et identifiez-vous à votre Être véritable, à la Présence JE SUIS, au Christ. Alors, la Mère divine réalisera chacun de vos désirs et de vos souhaits divins, car c'est ainsi qu'Elle vous aime. Elle vous préparera à la conscience christique et à recevoir tout ce que vous désirez.

Le fait de choisir chaque pensée, chaque parole, chaque respiration est un acte plus élevé que n'importe quel rituel. N'attendez pas qu'une initiation vous conduise à la réalisation du Soi. Laissez vos choix venir directement du JE SUIS. Imaginez que chaque sentiment, chaque parole sont une bénédiction pour l'humanité et pour la planète. Vous serez alors dans la pleine conscience de votre Présence JE SUIS, le cœur et la tête réunis. Laissez vos paroles vibrer avec le Souffle Sacré de votre Présence JE SUIS. Soyez dans la joie et reliez-vous à votre Soi dans la manifestation du Divin. Souvenez-vous que vous êtes le Créateur, respectez chacune de vos décisions et chacune des paroles que vous prononcez.

Vous vibrez à la fréquence de votre splendide Terre-Mère qui s'éveille, et je vous invite à apporter cette magnifique Lumière en vous. Prendre soin de vous, c'est prendre soin d'Elle et de tous. Votre Être vous appartient : vous grandissez, vous vous épanouissez ou vous vous contractez en fonction de vos choix. Affirmez votre vérité. Vous savez exactement ce qu'est votre vérité et vous savez exactement quand vous vous positionnez en elle. Ceci est l'énergie créatrice, la Présence de Dieu en vous. Bougez avec elle, jouez avec elle et découvrez-vous en tant qu'Être divin. Soyez un enfant, restez avec la Présence et marchez avec elle. Cette Intelligence infinie vous emmènera partout.

Donnez à votre souffle le son divin et n'utilisez pas vos paroles à la légère. Vous êtes tous des maîtres de Lumière. Implantez cette Lumière dans votre quotidien et dans vos formes-pensées. Ainsi, lorsque vous parlerez, c'est le Souffle Sacré qui s'exprimera. Soyez à l'unisson avec le souffle de l'Être Sacré en vous : c'est le Christ sur Terre. La flamme de l'Amour divin qui est en vous pourra jaillir et vous inondera de sa gloire quand vous choisirez de servir les autres. Soyez le véhicule de cette Lumière ; c'est très facile si vous entrez avec joie dans votre Soi divin.

Nous vivons un moment de grands changements pour notre planète. Jamais auparavant autant d'êtres ne s'étaient demandé : « Quel est le sens de ma vie ? Où vais-je ? » Saisissez cette occasion pour grandir. Nombreux sont ceux qui sont déjà entrés dans cette Présence et attendent que d'autres rejoignent leur cercle de Lumière. La Lumière viendra à vous. Que ce soit en rêve ou en méditation, elle viendra ! Cette Lumière vous appartient — soyez dans la Lumière, fusionnez avec la Lumière !

Oui, soyez Lumière ! Entrez dans la dimension du Divin préparée pour vous. Tout en lisant ces lignes, pensez à la demeure sacrée du Divin et entrez-y. Permettez à votre conscience de se transformer. C'est là que réside le Divin. Ressentez votre plénitude et votre Divinité. Centrez-vous dans la vibration de votre Soi divin et dites simplement oui à la Lumière.

C'est un moment unique de pureté. L'instant présent est si précieux, si divin et dans une telle expansion. Restez calme et sachez que le centre de votre Être a toujours existé et qu'il est ici maintenant. Vous vivez dans la Lumière vivante ; laissez-la se réaliser. Soyez confiance et Amour.

Alignez-vous profondément avec le Soi Suprême qui est en vous. Allez dans la Lumière ; chaque fois, vous connaîtrez la paix. Soyez l'enfant divin et tenez-vous dans la Lumière, vous savez qu'elle est votre vérité. Laissez cette Lumière prendre de l'expansion. Soyez en paix dans la joie.

Renoncez à toute *maya* pour servir seulement le Suprême. Respirez le Très-Haut dans toutes vos activités. Allez au-delà du sentiment, au-delà de la pensée. Ouvrez votre cœur pour ressentir votre force. Reliez consciemment votre personnalité à votre Soi Suprême et laissez la Lumière activer un champ d'énergie élevé. Rappelez-vous que vous êtes divin et que la joie est votre nature. Vivez-le consciemment !

Ayez clairement conscience que vous êtes le créateur de vos intentions. Ouvrez-vous à votre intention divine ; c'est cette Lumière que vous devez faire rayonner à travers tout votre Être. Souvenez-vous de votre héritage divin. Vous êtes Divin, vous êtes Unité. Honorez la Shakti que vous recevez avec Amour. Faites rayonner ce Divin avec une intention puissante. Laissez la gloire de cette Shakti briller à travers tout votre Être.

N'hésitez pas à invoquer la Shakti avec puissance et Amour. Ancrez-vous solidement sur la planète Terre, élevez jusqu'au Divin vos schèmes de pensée et immergez-vous dans la dévotion. Ainsi, vous n'aurez pas besoin d'initiation.

Dieu, Dieu, Dieu. Seulement Dieu.

Chapitre 11

Le seul chemin est celui du cœur

Vous êtes la raison, vous êtes la Lumière ;
c'est l'émergence de la nouvelle conscience.

Le seul chemin est celui du cœur

Laissez votre personnalité se transformer.

Honorez le courage de votre âme en acceptant pleinement votre existence terrestre. Elle vous apporte de nombreux défis et plusieurs occasions favorables pour atteindre le but réel de votre vie sur ce plan. Recevez et ressentez l'harmonie de l'Amour divin qui embrasse toutes les dimensions de votre Être.

Je sais que vous devez passer par de nombreux changements, des transformations et des mutations profondes. Si vous vous ouvrez à la puissance divine, votre personnalité peut se transformer et vous permettre de vivre une expérience d'éveil de conscience. La contemplation, la méditation et la prise de conscience vous conduiront à cet espace de plénitude.

Étant donné tout ce qui se passe sur la planète, de plus en plus d'êtres se demandent : « Qui suis-je ? » Vous êtes tous ici pour faire ensemble l'expérience de votre dimension la plus élevée, sur tous les plans. Je sais qu'il n'est pas toujours facile de passer de la chair, des émotions et du mental à l'esprit, mais sachez qu'il n'y a qu'un seul chemin, celui du cœur. Il existe, à l'intérieur de votre corps, des espaces divins que je vous invite à explorer. Ils sont situés dans les chakras. Lorsque vous atteignez le chakra du cœur, vous vivez différents états de conscience. Par exemple, vous pouvez ressentir un Amour profond pour quelqu'un et quelques secondes ou quelques minutes plus tard éprouver de la colère envers lui. Puis, quelques minutes encore et c'est peut-être la peur, la jalousie, l'envie ou la cupidité qui s'installe.

Vous passez constamment d'un état à l'autre. Vous en prenez davantage conscience lorsque vous êtes dans votre *sadhana*. Rappelez-vous que vous n'êtes ni cette chair ni ce corps; ceci exige de la discipline. Parfois, la douleur et la souffrance mènent à Dieu. Sachant cela, vous ne devriez blâmer ni juger personne qui s'engage dans ce processus, dans ce changement de conscience. Une fois de plus, rappelez-vous que si vous choisissez, désirez et recherchez l'équilibre intérieur, il faut vous tourner vers l'intérieur. Respectez-vous pour avoir fait ce choix. Plongez dans ce trésor intérieur de beauté et vivez la sagesse de la Lumière Suprême et de la Shakti.

Demeurez centré en prononçant le nom de Dieu. En nous rassemblant pour méditer, partager ou prendre soin des gens, nous nous mettons au service les uns des autres et nous atteignons un niveau de conscience plus élevé. Votre puissance divine vous servira d'une manière que votre mental ne peut pas comprendre actuellement. Ce n'est qu'en vous abandonnant à la Lumière, à Dieu et au maître spirituel que vous pourrez aller au-delà des émotions terrestres.

Le premier pas consiste à être prêt à pardonner aux autres et à soi-même, à agir selon la volonté divine. C'est la seule façon de vous libérer de vos attitudes et de vos réactions émotionnelles. Cela amènera en vous une clarté plus grande et plus profonde. Encore une fois, ne blâmez personne, car le blâme fragilise votre exploration et votre croissance personnelle. Rappelez-vous que chaque fois que vous modifierez votre système de croyances, votre Présence JE SUIS et votre âme mettront immédiatement leur énergie à votre disposition. Ainsi, votre nature spirituelle, votre âme, aura davantage d'influence sur votre vie quotidienne.

Il existe en chacun de vous plusieurs niveaux d'énergie divine: acceptez que cette énergie vous guide. Vous n'êtes pas qu'un être humain; vous êtes un Être spirituel dans une forme humaine. Rappelez-vous que vous êtes divin, et passez de cette matière physique au plan divin. En faisant cela, vous faites l'expérience d'un changement énergétique qui peut causer une certaine douleur, car vous n'avez pas l'habitude de ce niveau d'énergie. Seul l'Amour divin qui est en vous peut transmuter les émotions passagères telles que la colère, la culpabilité, la peur et les défis. Vous pouvez choisir de changer; la clé est entre vos mains. Votre vie vous appartient. Abandonnez-vous à Dieu pour entrer dans la Lumière.

Lorsque vos pensées et vos émotions deviennent plus aimantes, vous en éprouvez une joie indescriptible. Lorsque vous manifestez de l'Amour et de l'attention envers vous et envers les autres, vous êtes dans l'adoration de Dieu. C'est l'essence même de votre cœur.

Lorsque c'est possible, isolez-vous pour observer votre personnalité, réfléchir sur l'attention que vous portez aux autres. Peu importe la façon dont ils vous traitent, continuez à exprimer votre Amour et votre sagesse. Ayez de la compassion pour l'humanité. Laissez le pardon pénétrer dans votre mental, vos schèmes de pensée et votre cœur. Alors seulement, vous pourrez oublier le passé, éviter de vous préoccuper de l'avenir et vous situer dans l'instant présent. Votre capacité de manifestation est amplifiée lorsque vous évacuez les pensées négatives. Abandonnez-vous à l'Amour et pardonnez aux personnes, aux lieux et aux choses qui vous ont blessé.

Nous avons traversé de nombreux changements ensemble et nous devons nous souvenir de l'Amour qui nous a réunis. Nous oublions si souvent l'Amour et la gratitude. Nous négligeons de manifester notre reconnaissance. Jamais l'argent ou le travail ne remplaceront l'Amour.

Dans le passé, l'argent et le travail étaient plus importants que la relation; maintenant il s'agit d'Amour et de relation attentionnée. Il s'agit d'être vivant et de se souvenir à chaque respiration que Dieu est en nous.

Je sais que vous êtes un enfant de Dieu. Je sais que vous êtes une Lumière brillante, capable de rayonner et d'apporter la paix en ce monde. Souvenez-vous que de nombreux êtres soutiennent le travail que vous faites ici-bas. Vous êtes la raison, vous êtes la Lumière. C'est l'émergence de la nouvelle conscience!

Ressentez la puissance de cette nouvelle conscience, à cet instant, au-dessus de vous, autour de vous, de tous côtés. Ressentez-la devant vous. Elle est ici pour vous. L'univers est en mutation, tout comme vous. Il vous aime tout comme vous l'aimez. La vie vous sourit constamment et ce sourire est votre richesse.

La Terre-Mère donne, encore et toujours. Soyez comme elle et ne faites qu'un avec la nature. Regardez un arbre, voyez comme il donne dans l'instant, comme la nature ne cesse jamais de donner. Oubliez tout ce qui ne vous sert plus. Ressentez la beauté de la gloire de Dieu. Sachez aussi que l'âme veut s'exprimer et que si vous restez dans la personnalité, elle ne peut pas le faire.

L'Amour divin ne vous quitte jamais. Il n'existe rien d'autre que Dieu. Rien!

Chapitre 12

La mort, la maladie et le Soi

La mort n'existe pas.
La maladie est anormale.
Le Soi illumine tout ce qui est.

La mort, la maladie et le Soi

La conscience universelle attend d'être découverte.

La mort est le fait le plus commun et le plus habituel de l'existence humaine. Pourtant, au lieu de se préparer à y faire face, la plupart d'entre vous choisissent de l'ignorer pour éviter d'y penser. Certains refusent même d'en entendre parler. Vous aurez tous, sans exception, à être confrontés à la mort du corps physique, la vôtre et celle des personnes que vous aimez. La majorité pense que c'est la fin de la vie ; ce peut être la fin du corps physique, mais ce n'est nullement la fin de la conscience. Il vous reste à intégrer la mort dans votre expérience de vie en tant que sagesse et connaissance.

Sachez que la mort n'existe pas. Votre Être est au-delà de l'expérience de la naissance et de la mort ; vous êtes éternel. La peur de la mort provient de l'ignorance. La plupart des gens considèrent leur existence à travers l'identification au corps. C'est là une bien grande illusion. En fait, c'est comme si vous jouiez un rôle ; quitter votre corps pourrait même être perçu comme un changement de costume. La vie corporelle est un jeu de la conscience. Croyez-moi, toute peur de la mort disparaît lorsque vous vivez dans la connaissance de votre véritable identité.

Il existe en vous une liberté de conscience qui attend d'être découverte. L'introspection, une meilleure connaissance de ce qui se passe en vous, vous aide à comprendre que vous vivez dans un monde illusoire. Ce n'est qu'en sortant de l'ignorance associée au mensonge et à la dualité que vous accédez à la véritable connaissance de qui vous êtes fondamentalement. Lorsque vous savez qui vous êtes, vous savez que le corps peut être détruit, qu'il peut être tué, mais que jamais ne peut être tué l'Éternel en vous qui est pure conscience et qui est indestructible. Il ne connaît ni la naissance ni la mort. C'est votre partie immortelle : votre âme. L'introspection, le silence, la méditation et la *sadhana* vous libéreront du mensonge fondé sur la peur de la mort et vous feront connaître l'expérience de la vie sans fin.

Ceux d'entre vous qui voient la mort peuvent utiliser cette capacité dans leur *sadhana* : visualiser le corps qui se désintègre, qui rcpose dans un cimetière, qui est incinéré. Quand une personne quitte son corps, la mort lui enlève sa richesse matérielle, car lorsqu'on quitte la planète, on laisse tout derrière. Vous serez seul devant Dieu !

Nombreux sont ceux qui ont peur d'être avec Dieu, de Le rencontrer, alors qu'en fait l'expérience de la mort peut être très paisible, comme lorsque vous vous endormez tranquillement. Imaginez que vous vous endormez pour des centaines de nuits et qu'un jour, vous vous éveillez sous une autre forme. Cela peut être une belle expérience si vous n'avez pas peur.

Soyez heureux pour la personne qui quitte son enveloppe physique. Son âme s'en va vers l'Amour, libérée de la dualité, de la douleur et du plaisir, du bien et du mal. Le Soi Supérieur, lui, ne meurt pas. Vous pouvez quitter ce plan en paix, en chantant le Nom divin, en lisant les Écritures ou en évoquant un moment sacré. Si vous avez fait le bien au cours de votre vie, vous allez vous sentir en paix au moment de votre mort.

Richesse, rang social, mari, femme, possessions ne signifient plus rien au moment de la mort, quelle que soit l'importance qu'ils ont eue. Toutes les richesses du monde n'ont plus de sens à ce moment-là ; seule compte la richesse intérieure. La richesse divine vous conduit à Dieu. Selon la façon dont vous aurez vécu, vous suivrez l'un de ces deux chemins. L'un est Lumière, beauté, joie, contentement et fusion avec le Divin. L'autre est une absence de Lumière fondée sur la peur.

Le corps est un champ où vous récoltez tout ce que vous semez. Vous récoltez les conséquences de vos actions.

Préparez-vous bien au dernier voyage physique. Si vous avez choisi la délivrance et la liberté, soyez vigilant et consacrez-vous toujours à Dieu et à l'Amour.

Les mirages de la maladie

Lorsqu'il y a *mal-aise* physique, je vous invite à y faire face avec courage, calme, foi et Amour, en sachant que toutes les maladies sont reliées à la peur et au mensonge. À l'origine, les cellules sont Lumière et la Lumière est vérité. Pour guérir, les cellules doivent donc redevenir Lumière et Grâce divines. Vos cellules ne sont pas conçues pour la maladie et la mort, mais pour la Lumière et pour des expériences exquises.

Rappelez-vous que pour le corps, la plus grande victoire est la santé parfaite. Recevez la force de votre Présence JE SUIS, c'est-à-dire la pleine puissance divine dans tous vos corps subtils. Plus ceux-ci sont vigoureux, plus ils sont sains et capables de repousser les maladies. Avant même que vous ne ressentiez ou constatiez un désordre dans votre corps physique, il existe dans les corps subtils. Vous créez la guérison en travaillant avec vos cellules tout en ayant foi en la Lumière afin de les rétablir dans la vérité et l'harmonie suprêmes.

Et si vous observiez votre façon de vivre ? Quelles sont vos attentes en ce domaine ? Il y a une telle puissance en vous. Ayez confiance en cette puissance. C'est Dieu

Lui-même. Êtes-vous disposé à faire pleinement l'expérience du Divin en vous ?

Rappelez-vous que la maladie n'est pas un état naturel pour le physique. Ressentez la foi en vous et utilisez-la. Observez également le message que le corps vous envoie. Qu'est-ce que l'univers est en train de vous dire ?

Le Soi existe en tant que paix et joie

Comment puis-je parler du Soi ? La nature du Soi est si mystérieuse, si subtile ; il n'y a rien de plus subtil dans tout l'univers. Le Soi est forme et il est sans forme. Il est pure conscience, il est force de vie et de félicité, omnipotent et omniprésent. Le Soi désigne l'identité originelle et ultime de l'être. Il est vérité, sagesse et connaissance. Il est libre et sans limites, au-delà de l'espace et du temps. Le Soi illumine tout. Il doit être vécu comme le plus puissant message de Dieu, une expérience au-delà des mots.

La félicité du Soi Supérieur est toujours nouvelle. Le rire du Soi diffère complètement de celui des sens. Ceux d'entre vous dont le bonheur quotidien dépend des sens savent bien comment ils recherchent ce bonheur, en passant d'un objet ou d'un lieu à un autre, à la poursuite de nouvelles choses, simplement en quête de satisfaction. Mais c'est bien différent avec le Soi. Il est en vous, dans toute sa grandeur et sa plénitude. Le Soi est le fondement de votre expérience de vie. Il est paix, joie, Amour et vérité. Il se révèle par la Grâce du maître spirituel, la Grâce du Soi.

C'est lorsque vous traverserez une phase de purification que le Soi apparaîtra. Ce peut être n'importe où, à n'importe quel moment, dans n'importe quelle situation, même lorsque vous êtes fatigué ou en crise. Le Soi est Lumière, il est silence, il est le Tout, le Témoin, l'observateur. Le Soi soutient tout, mais ne s'implique pas ; il est détaché. Le Soi fait l'expérience de tout en demeurant détaché.

Le Soi est gloire. Il n'y a rien de plus grand que le Soi… et vous êtes le Soi !

Chapitre 13

Qu'est-ce que l'illumination ?

Quand vous comprenez que vous êtes uniquement conscience, il n'y a rien à faire, pas de libération à atteindre, ni ignorance à combler, ni karma, ni responsabilité personnelle ou individuelle, rien à devenir. Il suffit d'Être et tout est là.

Qu'est-ce que l'illumination ?

Un état où raison et logique n'ont plus de sens.

L'illumination est si simple qu'elle est difficile à expliquer avec des mots. C'est comme un état de liberté où les règles sociales, l'image de soi et les idéaux n'existent plus. Plus simplement, vous ne faites plus attention à ce que les autres pensent de vous. C'est la liberté, sans aucune peur. Pour être dans cet état, il vous faut être conscient que vous n'êtes pas le corps, mais le Soi Supérieur qui anime le corps. Vous êtes la conscience-témoin, totalement libre qui n'est limitée ni par le corps, ni par le mental, ni par les sens.

Je suppose que vous savez maintenant ce qu'est l'attachement au corps et aux objets. Dès que cesse l'identification au corps, vous êtes libre et vous pouvez être la conscience même, en toute chose et en tout lieu. Alors, le réel est ! Vous êtes la Lumière, l'Amour, la Vérité, le Divin et la Source. Tout est conscience. À l'opposé, vous vivez la dualité lorsque votre pensée s'individualise ; alors, vous

vous identifiez à votre dimension corporelle. Tant que durera cet état de conscience, la libération est impossible et l'Unité, inatteignable. Si vous avez foi en ces paroles, vous pouvez comprendre sans entrer en conflit intérieur. Sachez que seul le soi de niveau inférieur vit dans le conflit, le doute, la dualité et la confusion, jamais le Soi Supérieur.

L'illumination n'a rien à voir avec la logique que vous apprenez à l'école ; la raison et la logique n'ont plus aucun sens. Vivre dans la foi fera jaillir un surcroît de puissance de votre Être intérieur. La foi est nécessaire dans la *sadhana,* car, tout en étant dans le corps, vous vivrez l'Unité, un état qui ne peut s'expliquer avec des mots.

Je le répète souvent : « Il faut vraiment tout abandonner, jusqu'au désir de l'illumination, car ce désir même est un grand obstacle. » C'est comme un écran entre votre âme et vous, entre Vous et vous. Pour atteindre l'illumination, il est impératif que vos sentiments soient empreints de joie et de vérité, et que vous ne vous attendiez pas à ce que quelque chose arrive.

Quand vous refusez de vous pardonner ou de pardonner aux autres, vous êtes esclave d'un fardeau qui vous prive de liberté. Sans pardon, vous ne pouvez éprouver la joie nécessaire à la libération. Le premier pas vers la joie est d'être heureux avec vous-même. Si vous ne pouvez pas pardonner, il se peut que vous vous accrochiez à quelque chose qui vous empêche d'être votre Soi Supérieur.

La difficulté à pardonner s'exprime souvent dans des jugements et des conflits; certains sont réels, d'autres non. C'est souvent par ignorance que vous portez des jugements. C'est la même chose lorsque vous êtes incapable de pardonner. Rappelez-vous que c'est vous qui créez votre monde de confusion et de conflits internes, par manque de sincérité ou de vérité, à partir des idées ou des concepts du mental. L'ignorance est un concept créé par le mental.

Votre mental est dualiste; il vous maintient séparé de la vérité de qui vous êtes. Comment pouvez-vous lui faire confiance? Par exemple, il paraît étrange de dire: «Je vous aime», parce que «je» et «vous» laissent supposer qu'il y a deux Êtres, alors qu'il n'y a que le Soi, l'Unique, le même Soi en vous et en moi. Il n'y a que l'Unique. On pourrait dire alors: «Je nous aime.»

Comme je l'enseigne, fondamentalement, vous êtes différent de la personne qui agit. Quand vous savez que vous êtes la conscience, alors vous comprenez que vous êtes seulement un témoin des événements que vous vivez. Et quand vous êtes témoin, vous êtes libre. En toute liberté, donnez-vous la permission de danser avec le Divin en vous!

Revenons à l'ignorance : d'où vient donc ce sentiment ? Il vient simplement du fait que vous pensez être le corps, le mental ou les sens. Vous êtes attaché au corps, c'est-à-dire esclave de ses dimensions limitées. Ce n'est pas de l'Amour, mais de l'attachement. L'Amour réel se vit dans la liberté.

Vous pouvez créer l'harmonie dans les dimensions du mental et des sens, mais vous ne pouvez créer le vrai sentiment d'Amour parce que l'interaction d'âme à âme n'est pas du domaine du mental. Il n'y a pas de vérité durable dans les idées et la création intellectuelle. Demandez-vous combien de minutes durent vos idées et vous saurez si elles sont immuables. Prenez conscience du fait que vous êtes la vérité divine ; cette dimension de vous n'est pas influencée par le mental.

Ancrez la vérité de votre JE SUIS

Qu'est-ce qui empêche une personne d'exprimer ses véritables sentiments ? Posez-vous la question : « Comment puis-je avoir une relation saine avec moi-même si je ne suis pas sincère et authentique ? » Dans ce cas, n'est-ce pas évident qu'il vous est également impossible d'avoir une relation saine avec quelqu'un d'autre ?

Quand vous vous mentez à vous-même, la loi de la vie crée tout naturellement des malaises, de la confusion, des contractions et de la manipulation. C'est la même loi qui crée du bien-être et de la liberté intérieure lorsque vous vivez dans le courant de son expansion et de sa joie. C'est à ce moment que vous pourrez enfin ressentir la plénitude du sentiment « JE SUIS le Soi intérieur » dans votre vie quotidienne.

Lorsque vous avancez pas à pas vers l'illumination viendra un moment où vous serez libéré à quatre-vingt-dix pour cent de la peur. Les dix pour cent restants, vous les vivrez comme une grande, une très grande peur. Cela vient du fait que votre ego a si peur de mourir que, pour vous rassurer, votre personnalité crée un schéma totalement nouveau et pourtant familier de fausse sécurité. En effet, ressentir la peur peut vous sécuriser, car cette situation vous rappelle des états déjà vécus. C'est une façon déguisée de nier qui vous êtes.

Votre ego sait comment vous détourner de votre but, en vous faisant passer de la liberté à un état de non-liberté et en changeant vos limites. L'ego est très brillant. Comme vous lui avez accordé des pouvoirs, il s'en sert pour vous contrôler. Il vous amène ainsi à voir, à vivre et à ressentir à sa façon. Ainsi, vous vous retrouvez pris dans les mêmes vieilles habitudes.

Une personne, à qui l'on avait prescrit des antibiotiques, eut le sentiment qu'il valait mieux arrêter de les prendre au bout de trois jours au lieu de suivre le traitement complet, et son état empira. Je lui expliquai que toutes les bactéries n'avaient pas disparu, que les plus résistantes avaient survécu. Elles étaient victorieuses. La même vérité s'applique à l'ego et à la personnalité. Si le travail n'est pas achevé, les dimensions les plus puissantes de l'ego seront toujours au poste; ce sont elles qui pourraient vous faire vivre vos plus grandes peurs.

Baba disait que les gens venaient le trouver non pas pour demander la vérité, mais parce qu'ils se sentaient esclaves de leurs attachements, de leurs systèmes de croyances et de leur identification au soi limité. Un véritable maître spirituel se préoccupe de la peine et de la souffrance de ses étudiants; il est toujours prêt à purifier leur condition humaine. Voilà ce qu'est l'Amour. Tous les maîtres spirituels savent que chaque être est le Soi Supérieur, même s'il continue à s'identifier à la personnalité, au mental, à l'ego ou au corps. Le maître spirituel voit la Lumière, la beauté et la conscience plutôt que la créature humaine prise au piège de la rationalité, de ses systèmes de croyances, de la raison, et ainsi de suite.

Vous êtes prisonnier des désirs qui sont à l'origine des jugements. Quand vous jugez les autres, vous vous jugez vous-même. Il est impossible de connaître la libération tant que les jugements persistent, car vous ne faites que donner du pouvoir au mental qui crée son propre monde avec la peur. Dès que le mental se sent menacé, les jugements sur le bien et le mal apparaissent. Que fait le mental de ces jugements? Il pratique l'autojustification en expliquant de façon rationnelle qu'on se sent bien en portant des jugements que l'on pense justes ; on se sent heureux en rationalisant ce que l'on croit être bien et être mal.

Le mental donne à la tête un pouvoir sur le cœur, vous coupant ainsi de vos véritables sentiments. Votre âme vous dit la vérité, mais le mental utilise la peur pour vous séparer de votre Soi Supérieur. C'est ainsi la peur qui dirige votre vie. Si vous souhaitez vivre dans la plénitude du Soi Supérieur, alors l'Amour de la vérité ainsi que le don de l'instant présent doivent faire partie de votre vie. L'instant présent n'a ni commencement ni fin, il est éternel. Il n'y a pas de peur dans la plénitude de l'instant, tandis que si vous commencez à vous juger ou à juger les autres, vous bloquez le mouvement d'expansion.

Vous ressentez alors une contraction naturelle, un malaise, un état de non-liberté qui risque de vous faire souffrir. Il est facile de rationaliser lorsque vous choisissez le déni qui crée le jugement. C'est avec le jugement que commence la manipulation entièrement fondée sur la peur. Et cela, parce que le mental éprouve le besoin de se protéger. Vous vous demandez peut-être depuis des années ce qui ne va pas. Les années peuvent passer sans que vous puissiez vous trouver vous-même ; bien souvent, tout cela arrive à cause de la peur.

Pour être libre, il faut être courageux. Votre âme sait exactement quoi placer sur votre chemin pour vous aider à grandir, à devenir mature. Il est possible d'être vous-même, libre et dans l'expansion, en écoutant votre Soi Supérieur. Même si vous avez l'impression d'être un débutant après avoir lu ces lignes maintes et maintes fois, à un moment donné, il y aura un déclic et vous cheminerez vers l'éveil.

Il s'agit donc d'écouter la vérité, encore et encore. Combien de fois répétez-vous les mêmes tâches dans la vie de tous les jours ? Pratiquez la vérité, sans relâche, jusqu'à ce que vous compreniez. Raffinez votre intellect pour que la Lumière du Soi le traverse aisément. Relisez, réécoutez. La répétition fait partie des rituels de la vie.

Quand le soleil se lève, par exemple, l'énergie n'est jamais identique, même si nous avons l'impression que c'est toujours une répétition. Nous pouvons faire l'expérience de la vérité en une fraction de seconde. Cette vérité, c'est que vous êtes la perfection absolue, infinie et sans limites, avec toutes les qualités du Créateur et de la création.

L'illumination se produit quand l'intellect est clair, car la Lumière ne rencontre aucun obstacle. Rien ne s'oppose alors au Divin qui peut briller et s'exprimer librement à travers votre intellect, vos sens et votre corps. Comment libérer le passage pour le Suprême, comment ouvrir la voie ? Avec de bonnes pensées et des actions positives.

C'est ainsi que dans votre champ énergétique, vous métamorphosez tout ce que vous avez créé de destructeur.

Il n'est pas facile de décrire ce qu'est l'illumination. La discipline spirituelle est nécessaire pour la connaître. Mais sachez que l'illumination ne se pratique pas, aucun chemin spirituel n'y mène et il ne faut atteindre aucun but pour la connaître. Renoncez à toutes les idées que vous avez sur elle. Ce ne sont que des idées. L'illumination est un état qui se produit dans l'instant.

Un jour, j'ai reçu un message dans lequel on me demandait mon avis sur le recours au jeûne pour atteindre l'illumination. Naturellement, le corps et l'intellect sont plus légers quand on mange moins, en particulier en Occident où on mange trop. Faites plutôt jeûner votre mental !

Quand vous comprenez que vous êtes la conscience, il n'y a rien à faire ni à devenir, pas de libération à atteindre, pas d'ignorance à combler, pas de karma ni de responsabilité personnelle ou individuelle. Il suffit d'être pour que tout se déploie naturellement. En fait, tout est déjà arrivé. Quel est le seul obstacle à la compréhension dont l'essence est aussi conscience ? Le mental. Éduquez et formez votre mental, rappelez-lui qu'il est conscience, et tout est fait.

Tout a un centre. Trouvez où est le centre de votre Être. Ensuite, placez-y votre mental. À l'instant précis où vous êtes ce centre, vous êtes le Tout, et toute notion d'individualité disparaît. Plus rien n'est à vous, vous prenez conscience du fait que le Tout est en vous.

Pour vivre une vie divine, totalement divine, il ne doit subsister aucune image de soi créée par le mental ou par la société. Vous ne verrez plus la vie sous son aspect social ; la vie sera telle que le Divin la voit, libérée de l'ignorance et de l'illusion, remplie de savoir, de vérité et de Lumière. Voilà le climat propice à l'illumination.

Chapitre 14

Quand vous vous abandonnez à Dieu

L'Amour de Dieu se manifeste partout dans l'univers. Il vous appartient de goûter à ce nectar divin.

Quand vous vous abandonnez à Dieu

Laissez votre cœur s'ouvrir.

Le Divin a déposé le trésor de l'univers dans le lotus de votre cœur. Pour aspirer à cette connaissance avec un Amour profond, exprimez avec foi votre désir d'entrer dans la demeure de Dieu où brûle Sa Lumière divine. Et pour vous fondre dans cette Lumière, consacrez-vous entièrement à la Grâce qui mène à l'Amour divin.

Vous êtes issu de Dieu. Votre âme avait choisi l'état de séparation pour faire l'expérience de cette vie sur Terre. Si vous lisez ce livre, c'est probablement parce que votre cœur est maintenant impatient de vous voir demander à la Grâce de reposer à nouveau dans le Divin. Ce n'est que dans l'Amour divin que vous trouverez la paix, la joie, la félicité. Croyez-moi, Dieu demeure toujours en vous.

Engagez-vous à aimer Dieu. Laissez votre cœur s'ouvrir totalement à la dévotion : demandez la Grâce et offrez humblement votre Être et votre Amour à Dieu. Pour ce faire, vous devez pratiquer la discipline de vos sens ; elle peut les transmuter et éclairer le mental afin que votre cœur s'ouvre plus encore.

Et dès que le cœur s'ouvre, le chemin de la réalisation divine s'offre à vous. Vos réactions se diviniseront quand vous commencerez à maîtriser vos sens. La plénitude de la dévotion se trouve dans le cœur. Laissez-le simplement s'ouvrir et, avec une dévotion profonde, consacrez-vous entièrement au Divin ; offrez-Lui tout votre Être. La dévotion est l'offrande la plus précieuse que vous pouvez faire au Dieu en vous.

Dieu vous aime infiniment. Dieu donne toujours et sans fin. À partir du temple sacré du cœur, permettez à cette dévotion de se répandre dans chacune de vos cellules pour que votre corps soit un temple. Une vie dans la pureté, nourrie de pures pensées, fait grandir la dévotion. Vous expérimentez la relation avec le Suprême quand la Grâce ouvre et libère votre cœur, vous faisant passer de la dualité à la non-dualité.

Assurément, nous sommes bénis d'être, en ce moment, sur cette planète. Aussi, ensemble dans l'Unité, goûtons à cette vie radieuse et bénie dans ce qu'elle nous offre de plus grandiose. Elle est la création de Dieu. Tout en elle est Shakti.

Voyez Dieu partout — goûtez Dieu, sentez Dieu, touchez Dieu. Ces expériences sont pour vous. L'Amour divin est immuable. Il est divin, et c'est tout. L'Amour est une expérience à part entière.

Aspirez à cette dévotion et à cet Amour, et je vous promets que vous les connaîtrez. L'ignorance disparaîtra, elle sera transmutée et vos cellules répondront à ce désir ardent. Implorez, réclamez la Présence divine en vous. Créez cette relation avec Dieu. Soyez divin, soyez Amour et offrez votre vie au Divin en vous.

Votre essence véritable et les fruits de la dévotion dépasseront vos espérances. Dès que vous mettrez en pratique cette conscience de vie, chaque instant rayonnera d'Amour et de Lumière. Votre personnalité et l'importance de l'ego s'amenuiseront. Votre maître spirituel notera et sentira votre changement de conscience ; il vous en sera très reconnaissant.

Pour connaître l'Amour divin, laissez votre cœur s'ouvrir et offrez-le dans sa plénitude au Divin. Ne retenez rien. Lâchez prise et abandonnez-vous. La loi immortelle du Divin est l'Amour ; engagez-vous à respecter cette loi.

La dévotion, c'est embrasser la vie dans sa plénitude, c'est un partage dans le précieux instant présent. L'Amour de Dieu se manifeste partout dans l'univers ; il vous appartient de goûter à ce nectar divin. Au début, vous aurez peut-être l'impression que Dieu n'appartient qu'à vous. C'est normal. Fondez-vous dans cet Amour, abandonnez-vous.

Vous vivrez l'Amour comme jamais auparavant. Le fruit de la *sadhana*, c'est la bénédiction d'avoir un cœur pur. La beauté de cet Amour est qu'il grandit sans cesse. Vous êtes en extase sans raison et vous goûtez à la plénitude de votre Être, au rayonnement de votre Divinité, sans effort. Il vous suffit d'être, tout simplement. Vos actions et vos paroles sont alors l'expression de la vérité divine.

Tout cela, c'est Dieu qui vit l'expérience de Dieu. Pour goûter la Lumière, votre cœur doit être simple et pur afin que Dieu puisse y déverser la Grâce ; un cœur pur est un cœur humble, un cœur dévoué à Dieu, seulement à Lui.

Aimer Dieu, c'est aimer toutes les créatures vivantes. Dieu se manifeste en tout. Le Créateur divin se manifeste en tant que création ; donc, si nous aimons Dieu, nous aimons sa création. L'Amour est magique. Dieu est magique. Le cœur est magique. Unissons-nous pour servir le Tout, pour servir notre plus haute mission. Servir le Tout est notre suprême cérémonie sacrée, notre puja. Certains vénèrent des statues tout en traitant les humains de façon épouvantable. Où est l'Amour là-dedans ? Vous êtes le Christ vivant, le Dieu vivant, vous êtes l'humanité.

Votre cœur sacré est plein de Lumière, et cette Lumière prendra soin de vous. Laissez-la pénétrer dans tout votre corps — dans le mental conscient, le subconscient et l'inconscient. Abandonnez-vous à la Lumière et à la gloire de la vie.

À travers cet Amour, vous goûterez la plénitude de la vie. Écouter un oiseau chanter pleinement, c'est Dieu. Comme nous sommes bénis ! S'offrir à Dieu permet de connaître la plénitude. L'Amour est une vibration, une énergie suprême. L'Amour du Divin contient tous les pouvoirs et toutes les vertus.

Dieu est Amour ; l'Amour est Dieu. La Grâce de Dieu se déverse en vous. Dieu est disponible pour chacun et Son Amour est pour vous tous. Désirez-vous le vivre ? Quel est votre choix ? À quoi vous engagez-vous ? Quels avantages retirez-vous d'une vie dans la dualité ? Considérez ce que vous apporte la vie sur cette terre. Qui êtes-vous vraiment et pourquoi êtes-vous ici ?

Sachez qu'il n'y a pas de raccourci pour accéder à l'Amour divin. Abandon, dévotion, Amour — voilà les clés ; il n'y en a pas d'autres. Tout est dans le cœur. Dieu est votre ami le plus intime : toujours présent, toujours disponible, ne vous offrant que le meilleur et ne vous abandonnant jamais. Je vous invite à aller au plus profond de vous. Ressentez et réalisez que Dieu est en vous et attend que vous acceptiez la Grâce divine. Votre essence est divine.

Votre essence est bonté. L'Amour permet au mental de s'intérioriser pour que vous connaissiez, dans le silence du cœur, votre Lumière divine.

Chapitre 15

L'importance de servir les autres

Faites de chaque lieu où vous allez
un lieu d'Amour, un lieu de service.
C'est le service désintéressé, le seva,
un lieu de dévotion, de bahkti,
un lieu de transformation.

L'importance de servir les autres

Manifestez votre véritable mission.

Le seva, c'est le service et la Grâce en action. C'est la connaissance et la volonté en action. Inspiré par le but le plus élevé, le seva plaît au Seigneur intérieur. Pratiqué avec joie, Amour et enthousiasme, et surtout sans attente de retour, le seva est la plus profonde des pratiques spirituelles. Vous touchez au but lorsque la Grâce et l'Amour rayonnent dans toutes vos actions.

Le seva est une chance merveilleuse de servir votre âme et de la ressentir. C'est se servir pour être en mesure de servir les autres encore mieux. L'expérience du seva est celle de votre Divinité. C'est un voyage du soi vers votre Soi Supérieur, une contribution vitale à votre incarnation sur ce plan.

Lorsque nous accomplissons un seva, nous pratiquons l'Amour sans attente. Offrez votre cœur et servez avec générosité. Le seva est une pratique spirituelle qui vous rappelle de garder le cœur ouvert et le mental concentré sur votre mission de vie. Ces outils vous aident à vivre dans l'Amour, dans le Divin, et surtout à voir le Divin en chacun. Ce cadeau que vous vous faites pourrait être le plus grand trésor de votre pratique spirituelle.

Faites l'expérience de cette grandeur en vous.

Au cours de l'expérience du seva, il convient d'apprivoiser votre mental pour le maîtriser. Rappelez-vous que votre Dieu intérieur est aussi à la source du mental. Plongez sans compter dans la pratique du seva, et vous goûterez à votre propre transformation. Ce cadeau d'éveil intérieur et de développement spirituel vous permettra de passer de l'état de chercheur à l'état de celui qui a trouvé un sens réel à son passage sur Terre.

C'est là une occasion de raviver votre cœur, d'atteindre un état profond qui sera propice à la méditation. Ainsi, vous pourrez approfondir consciemment la sagesse intérieure, qui est d'accomplir votre mission de vie et d'aimer.

Le seva, c'est servir Dieu

Ô combien la nature nous est dévouée ! Chaque saison déploie avec gloire ses multiples trésors. C'est avec dévotion et humilité que la nature nous donne l'exemple de la rencontre entre la beauté et le service désintéressé. Voilà la puissance de l'Amour et de l'accueil sans cesse renouvelée dans la Grâce divine.

Quand vous aimez tout ce que vous faites en seva, la transformation est garantie. Allez-y, vivez l'expérience ! Répandez l'Amour en toute circonstance de votre vie grâce au seva.

Ces pratiques, sources de joie et d'extase, permettent à la vie de se révéler dans sa gloire et à la transformation intérieure de prendre place. À chaque respiration, vous pouvez atteindre le plus haut potentiel de votre Être. Accueillir pleinement chaque instant, c'est accueillir le Divin en vous.

Un accueil authentique libère la bonté de l'autre, fait jaillir l'Amour de son cœur et permet à sa Lumière de briller. Sachez que lorsque vous êtes occupé à soutenir les autres, Dieu est occupé à vous aider et à vous soutenir. Offrir son seva, son service désintéressé, c'est servir Dieu. Un cœur pur dans le seva ainsi qu'une pure offrande sans attente de récompense sont très chers au Suprême.

Le seul but du service est de satisfaire votre désir de vous fondre dans la vérité. Très souvent, quand le maître spirituel vous donne un seva, vos *samskaras* sont transmutés et votre karma est lavé. Le seva est le fruit du maître spirituel. Quand vous servez avec la pureté de la dévotion, vous êtes très proche de Dieu et de votre maître spirituel. Vous êtes alors libéré de la peur, et des averses continues de Grâce se déversent sur vous, tel un océan sans marée.

Chapitre 16

Expérimentez la paix intérieure

Si nous choisissions tous la paix,
elle se répandrait rapidement
sur cette exquise planète.

Expérimentez la paix intérieure

La paix se révèle dans le calme.

Chacun porte la paix en soi. La paix est le Soi comme le Tout est le Soi ; donc, le Tout est la paix. Pratiquez la *sadhana* de la paix. La paix suprême est votre droit de naissance. Vous avez hérité de la paix de votre Soi Supérieur ; elle est donc en vous.

Prenez conscience que la paix accompagne toujours l'Amour. La plupart des gens vont à l'église, à la mosquée, au temple, au mandir, au darshan ou à la méditation afin de connaître la paix. La paix est un attribut de l'Amour. Elle jaillit spontanément de votre cœur sacré et s'incarne dans tout votre Être. Et puis, sans effort, elle se répand d'elle-même.

Les autres peuvent assurément ressentir la paix que vous incarnez. Elle se trouve dans votre cœur, aussi, n'allez pas la chercher ailleurs. Vous pouvez vous sentir en paix dans un environnement paisible, mais cela ne dure pas.

En revanche, comme la paix intérieure vous appartient, elle ne peut vous être enlevée. Cette paix intérieure transmute, entre autres, vos sentiments de culpabilité et de faible estime. Cet état de paix est en vous; personne ne peut le créer à part vous. Quand vous aimez Dieu, la Source, vous pouvez goûter la paix à tout moment. La paix est la Grâce de l'Amour, la Grâce du cœur.

Avez-vous remarqué qu'après avoir goûté, ne serait-ce qu'une fraction de seconde, à la Lumière, à votre Soi pendant la méditation, cette paix émane de vous des heures, voire des jours durant? Grâce à vos bonnes actions, la paix émerge du cœur pour imprégner votre personnalité. Plus vous avez conscience de cette paix, plus vous l'attirez. C'est encore la Grâce divine, cette paix intérieure, qui fait passer votre expérience de vie de l'enfer au paradis. La Grâce est alors votre état naturel.

Voilà comment vous pouvez vous libérer: ancrez et répandez consciemment cette énergie dans votre mental conscient, votre inconscient et votre subconscient. Avec l'Amour de Dieu et la conscience de vivre en Dieu, vous inspirerez l'Être de Dieu.

Si nous choisissions tous la paix, elle se répandrait rapidement sur cette exquise planète!

Mais combien choisissent la paix pour la planète? Combien d'entre vous, malgré de nombreuses années de méditation, sont vraiment la paix? L'an dernier, de retour de l'Himalaya, quelqu'un m'a dit: «Sai Maa, je voudrais être un ascète indien ayant renoncé à tout bien matériel, un sadhu.» — «N'importe qui peut l'être», ai-je répondu. «Mais pourquoi veux-tu être un sadhu?» — «Pour vivre en paix», m'a-t-il répondu. Croyez-moi, nul besoin d'être un sadhu dans l'Himalaya pour vivre en paix. Soyez la paix dans votre famille, avec vos collègues de travail, en société. Ne croyez pas qu'il faille aller vivre dans une grotte pour réaliser le Dieu qu'on a en Soi.

La paix est en chacun de nous. Êtes-vous prêt à vivre la paix qu'il y a en vous? Êtes-vous prêt à incarner la paix suprême qu'il y a en vous? Votre Soi Supérieur comporte cette qualité. Votre Soi Supérieur est cette qualité; alors utilisez-la. Pour atteindre la réalisation, allez au-delà de la dualité, au-delà de ce qui est périssable, au-delà de tout jugement et de toute résistance.

Alors, quand vous pratiquerez sincèrement la discipline et la *sadhana*, vous ferez l'expérience de la paix. La *sadhana* est le germe de la Divinité. Dès que vous choisirez de connaître le Soi, il vous révélera assurément sa paix divine. Continuez vos pratiques afin que la paix, le fruit de votre pratique, vienne à vous.

Donc, la paix, la tranquillité et la sérénité existent en chacun. La paix intérieure ne coûte rien, car elle réside toujours en vous. Soyez dans ce calme et la paix se révélera à vous.

D'où vient l'absence de paix? Du mental divisé, de la dualité. La jalousie, l'avidité, l'envie et l'agitation, qui découlent de cette dualité, vous perturbent l'esprit; alors votre mental devient agité.

Maintenant que l'on connaît tous les avantages de vivre dans la paix, il faudrait bien vous demander pourquoi vous acceptez de vivre sans elle. C'est simple: la paix vous fait peur. La paix peut être perçue comme étant l'inconnu, un état qui vous fait perdre vos repères habituels. Paradoxalement, même si l'absence de paix vous perturbe, vous ne choisissez pas la paix; tout cela par peur de l'inconnu.

Alors, pourquoi n'êtes-vous pas en paix? Par manque de foi et d'Amour, par peur aussi, peur de lâcher prise. Êtes-vous prêt pour la paix? Voulez-vous être la paix au quotidien? Vous ne serez en paix que si vous choisissez de vous tourner vers la paix du Soi Supérieur.

Nombre d'entre vous ont vécu une relation remplie de peine et de souffrance, de lutte et de peur. Cependant, quand vous venez au darshan, vous demandez une nouvelle relation: «Sai Maa, je ne veux pas vivre dans la solitude. Sai Maa, quand vais-je trouver un compagnon, l'âme sœur?» La conscience ne peut pas voir les avantages de la paix, car ils sont voilés par la peur. Et cette même peur vous pousse à vouloir vivre une autre relation qui pourrait être tout aussi néfaste que la précédente si elle est vécue de la même façon, soit dans la peur de la paix !

Interrogez-vous sur ce qui vous mène à vivre dans l'absence de paix. Au cours de certaines méditations, je vous invite à lâcher prise et à reposer dans la conscience pure. À ce moment-là, vous êtes la paix, car tel est votre choix. Personne ne peut choisir à votre place ! Pour avoir l'esprit en paix, la recette magique est d'aimer Dieu de tout votre Être. Avec l'Amour, le résultat est magique. Alors, si vous choisissez d'être la paix, n'attendez pas.

Dès à présent, s'il vous plaît, faites place à l'inconnu plein de délices et de merveilles. La paix est déjà en vous, dans tout votre Être. Elle attend d'être dévoilée pour devenir votre compagnon, votre compagne. Vous pouvez marcher, manger, dormir, parler à ses côtés. Prenez conscience de sa magnifique Présence, des bénéfices de la paix dans votre Vie. Cultivez l'Amour et la paix. Remplissez votre Être de paix ; respirez la paix et soyez conscient.

Au début, cela vous demandera des efforts ; avec le temps, cela deviendra agréablement naturel. Lorsque votre maître spirituel ou votre Soi Supérieur s'aperçoit que vous faites un effort, instantanément la Grâce vous est accordée. Dès que vous faites un pas, que vous vous choisissez, la vie en fait mille dans votre direction.

Dans cette paix, vous ferez l'expérience de l'immensité du cosmos.

Quand vous demandez la paix de l'esprit, ayez conscience qu'elle est déjà en vous. La plupart croient que l'absence de paix et les perturbations viennent de l'extérieur. C'est une erreur, elles viennent de votre personnalité. Quand vous souffrez, vous n'êtes pas en paix. Ce sont les désirs qui provoquent votre souffrance ; et les désirs sont issus du mental.

Purifiez donc votre mental avec de bonnes pensées, des pensées divines, avec des chants dévotionnels, et accueillez la Lumière dans votre mental. La Grâce et l'Amour du cœur sont toujours prêts à vous servir. Cette pratique contribuera à élargir votre conscience ; vous vivrez alors en paix, vous serez la paix. Ce n'est qu'après que vous connaîtrez le silence profond, la sérénité et la tranquillité.

La pureté de votre cœur vous amènera à la paix intérieure. Arrêtez de donner du pouvoir à ce qui ne vous sert pas. Les attributs de votre Soi Supérieur, de votre Soi, de l'univers et de toutes ses qualités résident en vous. Vous êtes si pur, si magnifique, si plein de Grâce. Magnétisez votre puissance. Respirez la Lumière et l'Amour et rappelez-vous que l'Amour est la puissance suprême. Ayez la foi, augmentez-la et vivez en elle.

Faites votre ascension jusqu'au niveau de conscience le plus élevé et vous serez enfin libre. Les mots « mien », « mon », « ma », « moi » et leurs semblables sont des obstacles à la liberté et à la paix. Abandonnez tous ces attachements et vous serez la paix même. Vous saurez alors que l'Amour est votre essence ; et cela vous remplira de paix.

Pour que la paix soit votre meilleure amie, pour être la paix, je vous invite à vous tourner résolument vers Dieu, à ne désirer et à ne vouloir que Dieu. L'humilité, la simplicité, l'innocence, l'Amour et la compassion seront dans votre souffle. Laissez la Grâce intensifier votre Amour pour la Présence JE SUIS et vous connaîtrez la paix divine suprême.

Oui, la paix est déjà en vous, vous êtes cette paix.

Chapitre 17

L'heure de l'éveil a sonné

Laissez la Lumière que vous êtes briller et rayonner.

L'heure de l'éveil a sonné

La Grâce attend votre permission.

Nous sommes très nombreux à vous soutenir dans votre choix et votre désir personnel et collectif d'évoluer vers une humanité plus vraie et vers votre propre maîtrise. Quelle joie de sentir votre volonté d'aller au-delà de la conscience physique pour percevoir, sentir et devenir une partie de la conscience, vaste, pure, lumineuse et illimitée !

Vous étiez conscience divine avant de vous incarner dans un corps. Aussi, vous avez en vous tout ce qui est nécessaire pour transformer votre existence sur Terre, avec la collaboration du Créateur. La joie de vous voir accepter votre essence et votre droit de naissance est au-delà du mot « joie ».

Pour manifester votre Soi Supérieur et divin, l'affirmation JE SUIS est très puissante. Et cette puissance vous appartient : veillez à ne pas la garder pour vous seul, mais à la mettre au service de tous. Avancez en toute confiance vers votre Lumière. Vous êtes sur Terre pour manifester la Lumière dans votre Vie et pour aider les autres à trouver le but de leur présence ici. Demandez et vous recevrez. La Grâce attend votre permission pour illuminer votre Vie.

En avançant vers la Lumière, tous vos schèmes de pensée peuvent évoluer. La transformation est à votre portée. C'est une question de choix. Il nous appartient à tous, individuellement, d'amener la Terre-Mère à une conscience plus élevée. Choisissons consciemment la paix, l'harmonie, la joie et l'Amour pour nous et soyons une source d'inspiration pour toutes les personnes qui nous entourent.

Centrez-vous sur le Soi impersonnel, universel, et n'accordez aucune importance aux obstacles et à la négativité. Montrez à l'ego que vous êtes le maître. Concentrez-vous sur le but à atteindre et non sur les difficultés rencontrées en chemin. Elles sont placées intentionnellement par l'ego pour vous divertir, vous éloigner de votre parcours. Les rosiers ont des épines, mais, tout en haut, on trouve la rose ! Focalisez-vous sur la rose et non sur les épines.

Manifestez votre Amour et votre puissance pour permettre à la Lumière de devenir de plus en plus intense. Réunissez-vous souvent pour former des cercles de Lumière. Le cosmos vous a doté d'un potentiel phénoménal ; réveillez cette force en vous. La joie et l'abondance universelles vous appartiennent. Donnez et vous recevrez au centuple.

Avançons ensemble en toute confiance. Et osons nous unir pour progresser résolument vers la Lumière. Vous participez tous au magnifique plan évolutif de l'humanité. Vous pouvez réellement être conscient de votre choix de vie ; vous êtes en mesure de participer activement au changement des énergies sur cette planète ; c'est d'ailleurs la raison fondamentale pour laquelle vous êtes ici ! Rappelez-vous ! Ravivez votre conscience !

Aidez l'humanité à s'éveiller, car c'est pour cela que vous vous êtes incarné en tant que maître. Rappelez-vous que vous êtes un maître ; appelez cette énergie en vous.

Le courage, la volonté et la vérité sont prêts à vous servir. Intégrez la conscience du Christ et vivez la vision suprême de l'Amour. Les mondes célestes attendent votre décision pour soutenir votre démarche spirituelle. Osons être les porteurs de la Lumière suprême. Osons ! À mesure que la Lumière vous purifiera, des doutes vont surgir. Ne vous y attardez pas, allez au-delà. Les dernières épines avant la rose semblent être les plus infranchissables. Gardez le cap sur votre destination. Continuez résolument à avancer vers la Lumière.

La voie de l'éveil vous appartient ; vivez simplement, sans artifice et sans attachement. L'attachement sème la peur et le manque, mais vous êtes Dieu. De quoi pourriez-vous manquer ? Certains s'installent dans leur petit confort avec la fausse croyance qu'ils sont en sécurité avec des éléments extérieurs à eux. Vivez dans l'équilibre et l'harmonie et unissez-vous à la Lumière pour traverser sans effort les turbulences de la vie. Cultivez votre intérieur.

Il est très important de trouver l'équilibre entre le corps, l'âme et l'esprit (le mental). Laissez votre foi grandir avec la Grâce, et réclamez votre droit de naissance ; activez votre Lumière intérieure. Réclamez-la et votre foi la manifestera.

Endormez-vous dans cette Lumière sublime ; au réveil, ayez comme première pensée la Lumière. Toutes vos heures conscientes seront alors lumineuses, dans la joie et l'Amour, dans la gloire du Christ et l'harmonie. Telle est la Lumière dans sa liberté d'expression. N'ayez pas peur, vous avez beaucoup de soutien. Donnez-vous à votre Soi. La vérité ne change pas ; elle ne change jamais.

C'est vraiment fabuleux d'être sur la planète Terre en ce moment. C'est le moment non plus de vous isoler, mais de vous ouvrir, de dépasser vos peurs et de vivre votre vie de tous les jours dans la spiritualité. Ceux qui résistent seront là pour vous empêcher d'être qui vous êtes. Ignorez-les ! Dépassez les frontières des croyances sur l'enfer et le paradis. Vivez à partir de votre Être profond ! Ne vous laissez pas piéger par le mental ni par ceux qui ont peur de progresser. Vivez dans la sérénité qu'apporte le fait de ne pas être seul, et avancez avec détermination dans l'Unité.

Dieu, votre Créateur, vous aime au-delà de ce que votre intellect peut saisir. Vous êtes les émetteurs, les vecteurs de l'Amour divin et des énergies célestes. L'Amour, la Grâce, le bonheur et la joie de l'énergie christique sont indescriptibles. L'énergie du Christ est pureté. Voilà comment on peut faire évoluer l'humanité vers une humanité divine.

Laissez votre Lumière briller et rayonner ; ainsi, où que vous soyez, cette Lumière sera activée. Depuis des temps immémoriaux, vous avez vécu dans la non-vérité. Êtes-vous prêt à changer de cap ? Êtes-vous prêt à cesser de vivre dans l'ignorance qui est à l'origine de la peur ? Êtes-vous prêt à arrêter de donner libre cours à vos sens et de vous laisser mener par l'ego ? Êtes-vous prêt à cesser de vous identifier à vos humeurs pour les maîtriser ? Qui êtes-vous prêt à être ?

Souvenez-vous que la connaissance et la sagesse résident dans chaque cellule de votre Être. Oui, dans chacune d'elles ! Vous êtes énergie, vous êtes Lumière. Ce n'est pas parce que vous avez pris un corps physique que vous n'êtes plus énergie ni Lumière. Vous portez en vous la conscience divine.

Les périodes de changement sont ponctuées de moments de purification. Il se peut que vous mangiez et dormiez plus, ou moins, que vous choisissiez la solitude et le retrait ou que vous débordiez d'énergie, ressentiez le goût de rire et de partager. Il peut se passer beaucoup de choses, même à l'insu de votre conscience. C'est une naissance, et vous accouchez de vous-même. Vous pouvez vivre deux naissances : l'une est physique ; l'autre est spirituelle. Pour manifester votre naissance spirituelle, vous devez porter votre attention au-delà de la dimension matérielle de la vie de tous les jours. Ça ne vaut pas la peine de se confiner uniquement à cette dimension, vous en avez fait plusieurs fois l'expérience. Soyez libre à nouveau comme lorsque vous étiez un corps de Lumière, mais cette fois, à l'intérieur du corps physique.

Ayez conscience de votre Divinité

La prochaine étape de l'évolution est la conscience de votre Divinité. Cette Divinité commence à faire de plus en plus surface chez nombre d'humains, le destin de l'humanité étant de culminer dans la conscience divine. Vous êtes maintenant appelé à devenir un Être supraconscient, divin, à être Dieu. Le libre arbitre est la clé de votre évolution ; le choix d'évoluer ou non dans cette vie est inhérent en chacun.

Quand la race humaine finira-t-elle par atteindre l'illumination ? Cela dépend de chaque individu. Plus il y aura de gens qui s'aligneront sur le Soi, plus il y aura d'Unité et d'Amour sur Terre. La désunion résulte de la peur que vous avez de votre puissance infinie. Vivez avec la volonté de faire la paix avec cette peur, d'affronter les obstacles, de persister, d'être honnête avec vous-même. Alors seulement la vérité se manifestera.

Le temps est venu. La race humaine est à un carrefour important : elle est sur le point d'entrer dans la grande spirale de l'illumination et dans le brillant destin qui l'attend. Vous avez là une occasion en or de réaliser votre plénitude, votre glorieux potentiel, et d'utiliser des connaissances avancées et divines pour résoudre les nombreux problèmes environnementaux, sociaux et médicaux auxquels nous sommes confrontés. L'élan collectif permettra aux masses d'atteindre un autre niveau de conscience, bien plus rapidement que vous ne l'imaginez.

Des changements majeurs se produisent. Nombreux sont ceux qui aimeraient savoir ce qui reste à accomplir pour atteindre le but. Le premier pas, votre intention première, est de la plus haute importance. Commençons ensemble, main dans la main et cœur contre cœur pour que la victoire se manifeste. Laissez-vous simplement guider par la Lumière. N'ayez crainte, vous êtes soutenu. Laissez la Lumière briller à travers vous pour que l'Amour soit. Ainsi, vous vivrez en paix.

Les changements s'opèrent grâce à vous et à travers vous. Toute l'humanité traverse une phase de transition. Ce n'est que le début ; nombreux seront ceux qui évolueront rapidement et aideront les autres dans leur processus. Grâce à cette transformation, le mental se rapprochera du Divin ; la bonté sera évidente ; la matière sera plus raffinée, plus vivante aussi, et s'exprimera de façon divine.

Les trames énergétiques autour de la planète subissent également des changements majeurs qui provoquent un nouvel alignement des énergies planétaires. Ce processus rendra disponible une nouvelle sphère d'énergie qui facilitera énormément le travail de tous ceux et celles qui s'accorderont à cette nouvelle vibration, accélérant ainsi le processus évolutif.

Allez au-delà de vos sens. Une vibration plus élevée, inaccessible à vos cinq sens, vous aidera à réaliser l'Unité. Votre karma sera purifié à grande vitesse. Tout ce que vous ressentirez viendra de vos pensées, de vos actions et de vos sentiments passés.

Commencez à aligner votre énergie et votre fréquence sur les Êtres de Lumière. En vous accordant à différents types d'énergie, à l'aide de votre sixième sens, vous connaîtrez naturellement d'autres niveaux de vibration. Les humains évolués ne seront plus malades et les « malaises » disparaîtront. L'harmonie attend la race humaine. Pour y arriver, menez une existence spirituelle. Quelle joie que ce grand chemin !

Tout peut se manifester. C'est une question de choix et de bonne volonté. Cela arrivera uniquement si les humains en font le choix. Relevez le défi face au Divin et ouvrez-vous au sixième sens. Le mouvement, la vague, a débuté lorsque vous avez tourné votre regard vers l'intérieur. Tout est là.

Des choix cruciaux vous attendent. Les êtres humains sont capables de coopérer consciemment avec le pouvoir d'évolution. Cette évolution n'a plus besoin d'être aveugle ou instinctive. Vous seul pouvez accélérer et parfaire l'avenir. S'employer à amener la matière dans la Lumière et à élever le niveau de conscience : voilà le seul moyen de passer d'un état de dépression, où vous vous sentez perdu et désorienté, à un état lumineux pour enfin accéder à une conscience supérieure. Réalisez que votre développement intérieur, soit la transformation de vos dimensions physiques, psychologiques, émotionnelles, mentales et subtiles sera l'œuvre de l'Amour, de la sagesse, de la puissance, de la connaissance et de la pratique spirituelle.

Abandonnez-vous, ayez confiance et foi en votre Shakti intérieure, en l'Intelligence suprême. Absorbez le plus de Lumière possible ; restez dans la puissance de la Lumière. Élevez-vous à des niveaux de conscience supérieurs et divinisez votre conscience terrestre, votre personnalité, votre mental, votre karma, votre matière.

Votre matière doit changer elle aussi. La seule façon d'y arriver est d'apporter de plus en plus de Lumière dans sa texture. Elle sera alors tellement vivante qu'elle dépassera la maladie (le *mal-aise*) et la mort. Faites descendre le feu sacré de la vie dans la matière et vivez librement sur ce plan, sans peur de la mort. Alors, ce sera le paradis sur Terre, sur une nouvelle Terre.

Chapitre 18

Soyez l'incarnation de l'Amour

Laissez l'Amour transformer votre Être.

Soyez l'incarnation de l'Amour

L'Amour est la vérité suprême.

Sachez que si vous désirez ardemment la Lumière, vous l'obtiendrez. Combien d'entre vous décident de se concentrer pour vivre réellement dans la Lumière? La plupart du temps, votre attention est ailleurs, alors que la priorité dans votre vie actuelle devrait être de faire l'expérience du Soi Supérieur.

La Lumière, ou *Paramatman,* (le Soi Suprême) est la dévotion, l'Amour pur et désintéressé envers le Créateur. Rappelez-vous toujours que l'Amour est la vérité suprême. Tout vient de l'Amour. C'est l'Amour qui vous permet de faire l'expérience de la liberté. Il n'est pas de vertu plus grande que l'Amour. L'univers vient de l'Amour, est soutenu par l'Amour et se fond dans l'Amour. Quand vous vous consacrerez tous les jours à cet Amour pur, divin et désintéressé, vous aurez conscience qu'il vous anime et vous soutient. Vous vivrez dans l'Amour, vous y mangerez, vous y dormirez, vous y travaillerez. Plus vous vous sentirez soutenu par un Amour dévotionnel, plus vous aspirerez à cet Amour. Visez à fusionner avec cet Amour divin.

La puissance de l'Amour dévoilera l'illusion de la vie terrestre et vous emmènera au-delà du plan physique, dans le monde de la félicité suprême où il n'y a ni naissance ni mort. L'univers entier est imprégné de cet Amour. Combien parmi vous sont conscients de cette puissance ? Une expérience de vie sans foi ni Amour est faite de séparation, donc de douleur.

Quand votre cœur est rempli de dévotion, vous recevez toujours la Grâce divine, car elles vont ensemble. Quand je dis que l'Amour est Dieu et que Dieu est Amour, cela signifie que l'Amour est une des formes de Dieu. Êtes-vous réellement conscient de cet Amour sacré ? Comment l'utilisez-vous ? Sachez que la puissance de l'Amour est à votre disposition et que si vous choisissez de vivre dans la foi, l'Amour sera présent et vous connaîtrez la paix. Et alors, vous toucherez à la vérité.

Vivez dans la dévotion. Donnez davantage d'Amour, donnez plus. Déversez de l'Amour dans chaque atome et soyez l'incarnation même de l'Amour. Et si tel est votre choix, transmutez les émotions négatives comme le doute, l'envie, la colère, l'avidité et la jalousie, en les embrassant avec votre Amour, si pur, si lumineux, si magnifique. Cet Amour est en vous ; tournez-vous vers l'intérieur; le monde extérieur ne pourra jamais vous donner cet Amour et vous ressentirez toujours un vide.

Avec un Amour qui provient de l'intérieur, vous serez un Être humain authentique. Jouez avec le Créateur; le monde intérieur est une aire de jeu et le Créateur vous y attend avec Amour.

Demandez-vous si l'Amour sous-tend toutes vos actions. Si votre cœur n'est pas satisfait, il convient de vous interroger. Quand il n'y a pas d'Amour dans vos prières ni dans vos méditations ou quand votre *japa* (répétition du mantra) est aride, il vaut mieux arrêter ces pratiques, car elles ne vous servent pas. Continuez, cependant, à désirer ardemment l'Amour pour ressentir la beauté, l'innocence et la douceur de cette expérience de vie qui vous a été donnée.

Quand l'Amour émane de vous, vous touchez le cœur de ceux qui vous entourent sans avoir rien de plus à faire. Quand un cœur s'attendrit et s'ouvre, la Shakti et la Grâce se mettent au travail et chaque moment se vit sans effort.

Laissez donc tout votre Être fusionner avec cet Amour divin, si précieux et unique. Cet Amour vous élèvera et vous connaîtrez la joie de vivre pleinement dans l'instant présent, comme savent si bien le faire les enfants. Dès que vous choisirez de vivre dans cet Amour, votre Être se transformera en profondeur.

Êtes-vous prêt à développer cet Amour intérieur unique ? Certains disent : « Je suis prêt, Sai Maa, je suis prêt », mais je vois beaucoup de doute. Soyez sincère : êtes-vous prêt ou avez-vous encore des peurs ? Quand vous dites : « Je suis prêt », vous devez être prêt à ne faire qu'un avec l'Amour divin, sans peur ni doute.

Accueillez tout. Soyez prêt et vous recevrez tout. Certains demandent : « Verrai-je Dieu un jour ? » Pour que cela se produise, il est nécessaire de vous consacrer à l'Amour. Dieu est là, devant vous, mais vous ne pouvez le voir, car vos yeux sont voilés. La vision de Dieu vous sera accordée par la Grâce divine en fonction de votre dévotion à l'Amour.

Remplissez votre mental du parfum de l'Amour dévotionnel pur afin qu'il puisse exhaler la pureté de l'Amour. Je vous le demande à nouveau : quels efforts faites-vous pour vivre dans cet Amour ? Laissez l'Amour transformer votre Être (votre conscience). Laissez la musique de l'Amour attendrir votre cœur ; laissez la Divinité remplir votre cœur d'Amour.

Un étudiant dévoué m'a demandé : « Que désirez-vous, Sai Maa ? » — « Je désire que vous soyez tous déterminés à vivre dans l'Amour, à accueillir toutes vos qualités avec Amour et à aimer tout un chacun. »

L'Amour transforme tout attachement

Chacun d'entre vous doit pratiquer l'Amour. La Vie émane du Divin et ne pourra que fusionner avec Lui. Quand vous vous rappellerez que le principe du Soi est le même pour chacun, vous deviendrez humble.

Vivez dans cette humilité avec un mental pur et sans attachements. Laissez le principe d'Amour transmuter toutes les impuretés et prenez conscience que l'humanité est sacrée. Puis, faites l'expérience de l'union divine et fusionnez avec Dieu. La Lumière de l'Amour ne peut jamais s'éteindre.

Chapitre 19

Rétablissez vos priorités

Quel choix faites-vous actuellement dans votre vie ? Choisissez-vous d'accueillir la Divinité, d'être libre, d'être le Tout et le Sacré ?

Y a-t-il une vérité en ce monde ? Y a-t-il de la grandeur ? Où se trouvent-elles en ce monde de dualité ? Pour moi, elles se trouvent dans le cœur humain. Quand le Soi (Dieu) se révèle, c'est toujours par la porte du cœur.

C'est par l'Amour, uniquement par l'Amour, que le Soi se manifeste. Vous êtes Cela, vous êtes cette Grâce.

Le travail que vous avez à faire consiste à passer du concept limité d'identité, qui est le fruit de la peur, à l'identification au Divin en soi. Surmontez la peur qui vous conduit à vous attacher aux biens personnels, au corps, à vos relations, etc. Les humains ont toujours peur de perdre, du fait de leur identification à la conscience corporelle, au lieu de s'identifier au Soi éternel en chacun de nous.

Mettez donc cette vie à profit pour connaître votre conscience intérieure et découvrir qui vous êtes vraiment. C'est du gaspillage que de vivre sans conscience. Chère incarnation de l'Amour, sachez qu'il y a une force bienveillante derrière la création, une onde d'Amour et de Lumière soutenue par la vérité. Vous êtes cette vérité ; elle est votre essence ! Cette force est un Amour incompréhensible pour le mental humain. Elle est connaissance et compassion, elle comprend sans juger. Elle est éternelle et immuable.

Cette loi naturelle de la conscience de l'Unité respire constamment en chacun de nous : c'est le *So Ham* en nous. Dieu et l'âme sont unis dans un corps physique. Libérez-vous de la dualité et de la souffrance et vivez pleinement toutes vos dimensions.

L'incarnation humaine est très précieuse. L'être humain est sublime, noble, grand, élevé. De toutes les créatures, l'être humain est le plus noble et le plus élevé. Il est donc très important de comprendre que ce véritable cadeau, ce miracle de la vie, doit être savouré dignement.

Ayez conscience du merveilleux potentiel qui est en vous. Observez votre respiration, car la force de vie réside en elle. L'immensité de l'Amour divin est dans la respiration.

Tout l'univers a été créé par la force du souffle unique entre l'inspiration et l'expiration. Ce souffle unique est si subtil qu'il n'y a pas de respiration. Il est pleinement vide. Ce vide, c'est le Souffle de votre dimension sacrée.

Rappelez-vous qu'il est crucial de cultiver votre conscience dans votre *sadhana*, surtout en cette période de grands bouleversements sur l'exquise planète Terre. Nous nous retrouvons en cet endroit merveilleux, et j'offre mon humble gratitude à tous ceux et celles qui lisent ces mots. Ma vision est que vous deveniez réellement vivants. Et c'est possible, dès que vous résidez dans la conscience de votre Soi Supérieur. Vous goûtez alors uniquement à l'Amour, à la joie, à l'harmonie et à l'infini. Vous êtes le paradis sur Terre et vous répandez l'Amour à chaque pas. L'Amour est tout d'abord en vous, dans le Soi, puis il rayonne et se répand tout autour.

Prenez bien conscience que, sur ce plan, chacun crée son paradis ou son enfer intérieur; personne ne le crée pour vous. Aussi, soyez conscient, écoutez votre silence intérieur, savourez-le. Quand vous reposez dans ce calme, la Présence divine se manifeste en vous. C'est à cet instant que vous pouvez prendre la résolution de faire pleinement l'expérience de la Présence.

Redéfinissez vos priorités: quel choix faites-vous actuellement dans votre vie? Choisissez-vous d'accueillir la Divinité, d'être libre, d'être le Tout et le Sacré? Ou choisissez-vous de vous égarer, de repousser la Présence et d'accueillir ce qui vous déshonore et vous affaiblit?

Acceptez-vous d'accomplir votre mission ? Chacun de vous a pris naissance dans un but particulier. Acceptez-vous de connaître la mission de votre venue sur Terre ? Êtes-vous prêt à vivre en harmonie avec votre potentiel, votre Shakti intérieure ? Êtes-vous prêt à honorer l'humanité et à vous honorer vous-même ?

Ce n'est que lorsque vous aimez l'humanité que vous servez Dieu, que vous L'aimez et que vous L'honorez. Tous les grands enseignements vous demandent d'incarner le Soi, la conscience que vous êtes. Écoutez les paroles des grands maîtres et mettez-les en pratique. Vous êtes venu restaurer le dessein originel du paradis sur Terre. Autrement dit, vous avez été créé pour diviniser l'humanité, en commençant par vous. Tout ceci dans le dessein de créer une humanité guidée par le cœur. Pratiquez la dévotion, servez les autres ; c'est cela le but de votre vie sur Terre !

Les royaumes célestes sont ici, maintenant

Vous êtes des incarnations de la Lumière et vous arrivez sur Terre au moment où le projet divin est prêt à être activé. La dimension spirituelle est déjà encodée dans votre ADN. Grâce à la conscience, tous ensemble, nous pouvons aimer et élever la conscience planétaire vers un état de paix, en apportant la Lumière de la Présence JE SUIS à toutes les personnes que vous croiserez.

Transformer votre cœur, vous libérer de la dualité, c'est la réalisation du Divin en Soi. Restez toujours centré. Marchez et vivez dans la Grâce. Nous sommes tous reliés au grand enseignement ; honorez-le.

Accomplissez votre *dharma*. Ne perdez pas une seconde. Les royaumes célestes sont là pour vous. N'attendez pas au dernier moment, quand vous quitterez la planète, pour connaître la Lumière et trouver le royaume. Votre naissance est précieuse ; c'est pourquoi, chaque année, vous célébrez votre anniversaire. Cette vie est très précieuse ; servez-vous-en pour faire de bonnes actions et pour prendre conscience que vous êtes un Être de Lumière. Ayez de bonnes pensées, et vous vous sentirez toujours soutenu.

Élevez les autres avec votre *Shakti*, même dans le silence. Tous ceux et celles qui vous entourent reçoivent votre Lumière et ressentent votre enthousiasme, votre passion, votre dévotion et votre bonne volonté. Ils reconnaissent la Grâce de votre Soi intérieur, le respect que vous témoignez au Soi Supérieur de chacun. Voyez l'autre comme un Être de Lumière et accueillez-le avec Amour et gratitude. Reconnaissez et traitez tous les Êtres avec respect. Ainsi, vous honorerez le Soi en vous et en eux, et vous permettrez à votre cœur sacré de s'ouvrir.

Soyez pur et ayez des pensées pures ; vivez humblement et soyez humble. L'humilité et la dévotion sont les qualités qui vous attirent la Grâce de la Présence JE SUIS.

Ce n'est que lorsque ces qualités sont activées que la Présence JE SUIS commence à s'incarner dans la personnalité. Et si votre personnalité est faible ou émotive, la Présence ne sera pas tentée de se rapprocher. La Présence se rapproche des fortes personnalités ; aussi, soyez fort et ayez des pensées pures.

Faites comme le pianiste qui pratique des heures pour exceller. Ne restez pas assis à ne rien faire ; vous pourriez renouer avec la douleur, la souffrance et les schémas émotionnels. Faites le travail, mettez en pratique l'enseignement des grands maîtres : travaillez avec une détermination sans faille pour faire descendre la Lumière en vous. Ne vous laissez plus distraire par les affaires du monde qui vous absorbent depuis si longtemps.

Lâchez toutes les peurs, les attachements, les désirs. Lâchez même tout désir d'illumination, car ce désir devient lui-même un objet.

Accueillez la conscience divine dans votre mental. Accueillez Dieu dans toutes vos actions et dans toutes vos pensées. Ne dites jamais que votre cœur est fermé ; ce n'est pas vrai. Le cœur est toujours ouvert, mais votre mental le voile. Aussi, accueillez la pureté dans votre mental. Glorifiez la Présence et goûtez à une vie de Divinité.

Inspirez la Présence, maintenant. Inspirez la vérité à travers vos chakras. Inspirez la Présence avec tous vos corps subtils. Laissez la Présence se répandre dans toutes les glandes et dans tous les organes de votre corps, dans vos cellules, vos molécules et vos atomes.

Enfin, menez une vie noble. Sachez que la Grâce est là, avec vous et pour vous.

Malgré les distractions de la journée, prenez une pause afin de vous centrer sur le moment présent. Ainsi, il vous sera possible de vous connecter à la partie immuable de vous-même, par-delà l'espace et le temps. Quel silence et quelle immensité dans le moment présent ! Par-delà les pensées et les émotions, par-delà la conscience du corps, allez au centre de la plénitude, du rien. Votre Être est divinisé quand toute votre attention est dirigée vers cet espace divin. Reposez dans cet état. Demeurez dans ce moment éternel de Grâce créé pour vous par votre Soi. Demandez-vous : « Qui respire en moi ? Qui m'accorde la Grâce de l'union ? » C'est la Présence JE SUIS. La Grâce de l'union parfaite vous attend.

Bien sûr, soyez concentré et soyez centré, car c'est là que réside la liberté. Demeurez dans le silence. Le Tout, le moment présent est là, dans l'espace entre deux respirations. Comme il est précieux, le moment présent, ce don du présent ! Laissez faire, tout simplement. La méditation est une concentration profonde où vous ne faites rien. C'est un outil qui vous conduit à votre Être, à votre Présence divine.

Être conscient, c'est faire l'expérience de l'inconnu, du mystère, de la conscience infinie de la Divinité. Vous êtes libre et infini. Une partie de la conscience a pris forme dans un corps pour vivre l'expérience de la séparation, celle de la vie sur Terre. Le corps a pris naissance mais, en vérité, vous n'êtes pas né en même temps que votre corps. Vous êtes immortel.

Glorifiez constamment votre dévotion à la Lumière. Le Soi éternel, cette conscience intarissable, réside en vous. et attend votre permission pour se révéler. La grandeur du Soi Suprême est dans votre cœur.

Chapitre 20

Quel est votre choix ?

Vous pouvez changer votre vie et vous transformer.

Quel est votre choix ?

Vous pouvez changer votre vie et vous transformer.

Chaque cœur est la demeure de Dieu, et chaque cœur s'embrase de Lumière divine. Même si vous n'avez pas conscience de la Présence, Elle est là. Chacun aspire au bonheur et à la liberté. Chacun, d'une manière ou d'une autre, recherche activement l'Amour.

Cet Amour divin est votre droit de naissance, et vous *pouvez* atteindre cet état ; ayez confiance en vous. La joie est votre nature ; puisez à sa source. La paix est votre nature ; soyez la paix. L'Amour est votre essence ; choisissez de le vivre. L'état d'expansion est votre essence ; encore une fois, choisissez-le. Lorsque je dis : « Tout est possible », sachez que tout *est* réellement possible. Vous avez été créé à l'image de Dieu, aussi, retrouvez cette conscience en vous. Demandez-vous : « Quels sont mes véritables désirs ? Qu'est-ce que je *choisis* ? » J'insiste à nouveau sur le fait que tout est en vous. Par votre cheminement spirituel, commencez à ressentir en vous la Présence tangible de la joie, de la paix et de l'Amour.

Grâce à la *sadhana*, vous pouvez passer d'un état limité à l'immensité, à l'infini, à la conscience divine. Sachez que la *sadhana* est un état naturel. Il existe en vous une Source infinie. Vous êtes la vérité ; l'« immuable » est en vous. Lorsque vous allez au-delà de ce qui appartient à ce monde, au-delà du périssable, vous vivez dans la liberté absolue.

Vous êtes des bénédictions de la Grâce ; vous êtes dans le chemin de la Grâce. Cette Grâce transcende toute l'énergie qui ne vous sert plus jusqu'à ce que vous deveniez le Transcendant lui-même. La conscience limitée se transforme, et vous vivez dans la Grâce de la conscience élargie. Lorsque la conscience du corps et des sens est transcendée, vous êtes libre.

Vous savez que la Grâce de votre JE SUIS vous soutient pleinement. Vous êtes tous des incarnations de la Grâce, car la Grâce est un attribut de la vérité. Il n'existe qu'une seule conscience divine. Il y a en chacun de vous une joie exquise, une joie divine, une joie parfaite ; parfois, au cours de la *sadhana*, vous commencez à puiser dans cette joie, en toute conscience. Le maître spirituel déverse toujours une quantité extraordinaire de Grâce sur le disciple méritant.

Le cœur de votre Être est rempli de Grâce ; entrez en vous-même et vivez-la. N'attendez pas. Ne doutez pas. Le doute est l'ennemi de votre *sadhana*. La joie ne vous sera pas donnée de l'extérieur par un ami ou un compagnon. Elle ne peut venir que de vous. Ceux qui vivent dans l'état de dévotion profonde, la *Maha Bhakti*, peuvent partager leur joie avec vous, la joie qui vous élève et vous grandit, la joie qui purifie le mental et le cœur.

Vous pouvez vous-même changer votre vie

Si vous avez des attentes, laissez-les tomber. Une « alarme » sonne dans le monde, une alarme qui vous demande de ressentir de la compassion les uns pour les autres et de vous aimer les uns les autres. L'humanité aspire à être aimée. L'humanité a le désir ardent d'être aimée de cet Amour sans condition où vous savez que vous êtes aimé, quoi qu'il arrive.

Nous avons tous été créés à partir du même Amour, du même pur espace. Et parce que vous êtes sorti de l'alignement, vous avez oublié qui est votre Soi, votre Soi intérieur. Sachez que tout ce que vous voyez se produire dans le monde est le reflet de chacun de vous. Individuellement, vous êtes tous en conflit intérieur, en état de guerre.

La seule voie vers l'Unité avec vous-même et vers l'harmonie intérieure passe par ce moment où vous vous acceptez pleinement et où vous cessez de vous juger et de juger les autres. Plus vous vous jugez, plus vous jugez les autres. Plus vous jugez les autres, plus vous vous jugez. Il y a une telle puissance en vous, tant de Grâce, tant d'Amour dans votre Être, tant de Lumière et de gloire.

La gloire de Dieu se trouve dans toutes les religions; aucune n'est mauvaise. Êtes-vous dans un état de «plénitude» intérieure suffisant pour accepter une autre religion? Êtes-vous prêt à embrasser totalement le Soi afin de pouvoir embrasser les autres? Chacun a le désir profond d'être accepté et aimé.

De plus en plus de maladies sur la planète

Dans ce contexte, vous devriez savoir pourquoi nous voyons de plus en plus de maladies sur la planète. Ces maladies existent tout simplement parce que vos corps subtils ne sont pas en harmonie. Puisque votre énergie n'est pas en harmonie, votre corps physique ne peut pas être harmonieux et cela vient du fait que vous ne vous sentez pas aimé. Je peux vous aimer à cet instant même, en cet instant de Gloire, cet instant béni. Je vous aime — même si vous ne vous sentez pas aimé… ce qui est un autre sujet.

Nous vivons tous dans la peur ou dans l'Amour. Lorsque vous vivez dans la peur, vos cellules et votre ADN se contractent. Tout se contracte en vous. En revanche, lorsque vous vivez dans l'Amour, vous êtes en expansion. Le choix est entre vos mains.

Pour celles et ceux qui sont déjà sur un chemin spirituel, ou *dans* un chemin spirituel, il est important de comprendre qu'il est possible de transformer votre propre karma. Vous pouvez transformer votre vie vous-même. Ne comptez sur personne d'autre. Ne vous attendez pas à ce que quelqu'un fasse ces choix-là pour vous. Il y a une raison à votre présence sur cette planète, dans cette civilisation. Sur ce plan du libre arbitre, si vous ne choisissez pas par vous-même, personne ne choisira pour vous.

Chapitre 21

Prière à la Présence JE SUIS

Aujourd'hui, maintenant, j'accepte totalement mon entrée dans la vérité, la vérité éternelle.

Prière à la Présence JE SUIS

Chère Présence JE SUIS,

Merci, merci à vous, la Plus Précieuse de vos offrandes incessantes et de vos bénédictions. J'implore votre aide ; j'invoque l'action intense de la Flamme violette pour qu'elle soit active dans tout mon Être, dans les annales akashiques et dans mon karma afin de consumer toutes ces ombres et de me libérer de toute création humaine. Je demande la séparation de la conscience humaine, de ses habitudes et de ses comportements. Oui, aidez-moi à être « dans » le monde tout en n'étant pas « de » ce monde, et à transmuter toute acceptation et tout souvenir de maladie et de vieillesse lié à la mort.

Je vous bénis avec la Flamme de mon cœur, Élohim de la Flamme violette, pour votre service auprès de nous tous. S'il vous plaît, activez votre Flamme dans tous mes corps subtils et dans tous les organes et toutes les cellules de mon corps physique. Activez la pureté et l'obéissance à la Lumière dans mes chakras, dans mon mental et dans toutes les particules de mon Être. Dissolvez, avec votre pouvoir magnétique, toute limitation humaine dans mon Être entier.

J'implore votre aide et je choisis d'incarner ma liberté. Élevez ma vibration, élevez ma conscience et déconnectez mes énergies de la négativité humaine. Je demande à ce que tous les sentiments de l'action cosmique établissent la Divinité en moi et dans mon monde pour m'apprendre à vibrer avec votre conscience divine; pour activer la loi de résonance en moi; pour me faire accéder à un état de conscience plus élevé pendant les temps de repos de ce corps et pour activer la Loi du pardon. Oui, Bien-aimée Présence JE SUIS, je choisis la voie de la Lumière dans sa gloire, en vivant pleinement dans la victoire de l'Amour.

Chers Archanges, vous m'avez très souvent offert une aide que j'ai refusée. Aujourd'hui, j'accepte totalement mon entrée dans la vérité éternelle. Purifiez tout mon Être avec la vibration et la Présence de la vérité.

Glossaire

Âme

Notre essence, ou l'étincelle de Lumière logée dans le cœur qui nous accompagne, d'une expérience de vie à une autre. L'âme accumule les mémoires et les impuretés des vies successives et nécessite une purification pour revenir à son essence.

Amrit ou Amrita

Terme qui signifie «immortalité» et qui est souvent utilisé pour désigner le nectar des Dieux qui accorde l'immortalité. (sanskrit)

Ananda

Béatitude spirituelle. (sanskrit)

Annales akashiques

Compilation d'informations énergétiques où sont enregistrés le passé, le présent et le futur potentiel des pensées, des sentiments et des actions de chaque âme.

Ascension
Transformation de la matière en hautes fréquences de Lumière et d'Amour. L'ascension permet de court-circuiter la mort physique en élevant la vibration du corps physique jusqu'à celle de la Lumière.

Atma(n)
(voir Soi Suprême)

Atome permanent
Point focal de l'étincelle divine manifestée en chacun de nous et conservée d'une incarnation à l'autre. On le situe en général dans le chakra du cœur ou dans la glande pinéale.

Baba
(voir Sai Baba)

Bhakti
La dévotion. Se réfère à la pratique spirituelle ou à l'état de dévotion qui mène à l'union avec Dieu (par exemple, la dévotion envers un maître spirituel). (sanskrit)

Chakra
Vortex (ou centres) d'énergie spirituelle dans les corps subtils. Les humains ont sept chakras principaux qui sont localisés depuis le bas de la colonne vertébrale jusqu'au sommet de la tête. (sanskrit)

Chant (ou bhajan)
Répétition verbale de phrases dévotionnelles ou de mantras sacrés, habituellement chantée et accompagnée de musique.

Conscience
L'état d'être fondamental, le constituant de base de toute existence.

Conscience christique
Un état de conscience dans lequel un être réalise l'union avec le Divin.

Conscience du corps
Conscience et vibration du plan physique et du corps physique par opposition à la conscience de Dieu qui est la conscience et la vibration du Divin, du Soi Supérieur.

Conscience universelle
Conscience éternelle du Soi Supérieur. Réalisation de notre nature éternelle, indestructible, immortelle, au-delà de la naissance et de la mort.

Corps subtils
Couches d'énergie subtile entourant le corps physique, qui sont trop raffinées pour être visibles à l'œil nu. Chaque bande de fréquences possède ses propres caractéristiques; ensemble, les corps subtils sont parfois appelés « aura ».

Darshan
Vision ou expérience du Divin qui a lieu grâce à la présence d'un saint, d'une sainte ou d'une statue sacrée. (sanskrit)

Deva(s)
Déité. Être surnaturel bienveillant. (sanskrit)

Dharma
Action juste, «devoir» ou «destinée par l'action» qui accélère l'évolution spirituelle d'un être. Lois naturelles d'ordre cosmique et social. La loi de la rectitude. (sanskrit)

Diksha
Initiation. Fait référence au transfert d'énergie d'un maître. La *Diksha de Sai Maa* est une puissante pratique offerte par Sai Maa pour illuminer le cerveau. C'est le transfert physique d'énergie ou de Lumière divine dans le cerveau, qui amorce le processus de l'éveil. (sanskrit)

Feu sacré
Le pouvoir maître de la vie contenant tous les pouvoirs de produire, de créer et de manifester la perfection dans tout ce qui est.

Grâce
Le don divin et l'énergie qui permettent la réalisation de tous nos efforts spirituels.

Guru
Signifie « de l'ombre à la Lumière ». Fait référence à un maître spirituel qui dédie sa vie à la transformation et à l'évolution d'autrui. (sanskrit)

Illumination
Libération spirituelle ou réalisation du Soi. Éveil conscient et permanent au JE SUIS. Un état de conscience marqué par la présence continue de l'Amour, de la paix et de la compassion, où un être fait l'expérience permanente de son Soi Supérieur comme étant sa véritable nature.

Initiation
Cérémonie au cours de laquelle l'étudiant reçoit des instructions sur une pratique spirituelle par un maître spirituel ; peut aussi inclure un transfert énergétique du maître à l'étudiant.

Jai (aussi Jay ou Jaya)
Victoire ou gloire à. Utilisé habituellement dans un mantra, une phrase ou un chant qui honore un aspect du Divin.

Japa
Pratique de la répétition rythmée d'un nom sacré ou d'un mantra. Le *japa* se pratique souvent avec un mala et est utilisé pour unir le mental et le Divin. (sanskrit)

JE SUIS (la Présence, Soi Suprême, *Paramatman*)
C'est la dimension la plus élevée de notre Être. Elle représente la première projection de l'individualité à partir de la Source. La Présence rassemble toutes les qualités de la Source dans sa perfection. Comme notre essence est la Présence, ces qualités pures sont notre état d'être naturel.

Karma
Action. Se réfère au principe universel de cause à effet. Le karma est l'accumulation énergétique de toutes les actions qu'une personne a faites dans sa vie présente et ses vies passées, qui influence directement les expériences et les circonstances qui se manifestent dans sa vie. (sanskrit)

Kundalini (aussi Mère Kundalini Shakti)
Énergie divine puissante qui vit en chaque être humain à la base de la colonne vertébrale, le plus souvent à l'état dormant. Elle est symbolisée par un serpent enroulé dont l'éveil et le mouvement à travers les chakras amènent une grande purification et une félicité intérieure. (sanskrit)

Maa (aussi Ma, Mata, Mataram, Mataji)
Mère ou Mère divine, terme utilisé pour démontrer l'affection et le respect.

Maha Bhakti
Grand Amour et dévotion pour le Divin. (sanskrit)

Maître ascensionné

Être qui fut un être humain et qui a maintenant atteint la maîtrise spirituelle à travers l'ascension de la conscience et de la matière. Les maîtres ascensionnés sont engagés à servir et à guider l'évolution spirituelle de la race humaine à partir des dimensions élevées de Lumière.

Mala

Collier de 108 perles utilisé pour la pratique du *japa*. (sanskrit)

Mandir

Temple sacré. (sanskrit)

Mantra

Phrase ou mot sacré prononcé de manière prescrite, souvent à répétition pendant la méditation pour concentrer le mental. (sanskrit)

Maya

Ignorance ou illusion de la dualité, qui voile l'expérience de la réalité de l'Unité. (sanskrit)

Méditation

Type de pratique spirituelle utilisé pour concentrer le mental et développer une conscience de notre nature divine. Il existe de nombreuses formes de méditation qui peuvent inclure des pratiques comme le mantra, la contemplation, la respiration consciente et la visualisation.

Mère divine
Aspect féminin de Dieu.

Mère Kundalini Shakti
(voir Kundalini)

Moksha
Libération spirituelle, illumination. (sanskrit)

Namasté
Salutation signifiant « J'honore la Divinité en vous ». Souvent prononcée avec les mains jointes devant le cœur (comme en prière). (sanskrit)

Om (aussi Aum)
Le son primordial par lequel l'univers a été créé, il porte en lui la totalité de la création. Ce mantra sacré est souvent répété comme une pratique d'alignement de nos énergies avec l'impulsion divine de la création.

Om Jai Jai Maa (aussi Om Jai Jai Sai Maa)
Un mantra ou une salutation signifiant « Gloire à la Mère divine » ou « J'honore la Mère divine en vous, en moi, dans tout ce qui est ». (sanskrit)

Om Namah Shivaya
Un mantra ou un accueil signifiant « J'honore le Divin en moi » ou « J'honore Shiva » (essence du pur espace). (sanskrit)

Paramatman
Soi Suprême ou Âme Suprême. (sanskrit)

Perle bleue (aussi Lumière bleue)
Structure énergétique subtile située dans le *bindu* (centre du chakra coronal). Elle est considérée comme la demeure du Soi Suprême dans le corps physique. Elle est le plus souvent vue avec l'œil intérieur durant la méditation.

Prana
Respiration. Force pure et vivifiante qui réside en nous tous. (sanskrit)

Présence, la
(voir Présence JE SUIS)

Présence divine
(voir Présence JE SUIS)

Présence JE SUIS (voir JE SUIS)

Puja
Culte ou rituel pour invoquer et faire l'éloge d'un aspect du Divin représenté par une image, une statue, un objet sacré ou un être vivant. (sanskrit)

Sadhaka
Aspirant spirituel, praticien d'une discipline spirituelle ou *sadhana*. (sanskrit)

Sadhana
Pratique ou discipline spirituelle. L'objectif de la *sadhana* est d'atteindre la réalisation spirituelle. (sanskrit)

Sadhu
Dans la tradition védique, celui qui est initié au renoncement dans sa quête de réalisation spirituelle. (sanskrit)

Sai Baba
Bhagavan Sri Sathya Sai Baba, affectueusement appelé « Baba », est le maître spirituel de Sai Maa. Il est l'un des maîtres spirituels les plus vénérés en Inde et nombreux sont ceux qui considèrent comme un avatar (incarnation d'une déité).

Sai Maa
Titre donné par Sai Baba à S. S. Sai Maa Lakshmi Devi. Nom de l'avatar de la Mère divine qui dénote un grand respect.

Samskara (ou Sanskara)
Impressions d'énergie subtile des pensées, des émotions et des actions passées, contenues dans le système nerveux. (sanskrit)

Sat-Chit-Ananda (aussi *Sachchidananda*)
Phrase signifiant existence (Sat), conscience (Chit), félicité (Ananda). L'essence infinie de Dieu manifestée par un état de délice de et dans la conscience. (sanskrit)

Satsang
« En compagnie de la vérité » fait référence à une réunion d'aspirants spirituels ayant pour but la pratique et l'étude spirituelle. (sanskrit)

Seva
Service désintéressé. Pratique spirituelle qui consiste à offrir toute forme de service simplement pour servir, sans attente de retour. (sanskrit)

Shakti
Puissance ou énergie divine féminine créative qui réside dans toute vie. Force cosmique de création qui est souvent représentée en tant que la Mère divine. Pouvoir spirituel de transformation qui émane d'un maître ou d'un être de Lumière. (sanskrit)

Siddha
Celui qui a atteint la perfection spirituelle à travers le yoga. (sanskrit)

So Ham (prononcé « so hum »)
Mantra signifiant « JE SUIS » et utilisé comme affirmation de la Divinité intérieure. (sanskrit)

Soi, Le
(Voir Soi Supérieur)

Soi christique
(voir Soi Supérieur)

Soi Supérieur (ou Soi christique)
Dimension de notre être qui sert de régulateur et module la quantité et la qualité d'énergie qui s'écoule, à partir des dimensions supérieures de la Présence, dans notre anatomie subtile et physique. Notre Soi Supérieur maintient l'état d'Amour divin et d'Unité ainsi qu'une vision continue de la perfection que chaque être humain détient par droit de naissance et peut manifester dans le monde physique.

Source
L'Unité omniprésente d'où surgit toute création, le « Tout ce qui est ».

Sri (ou Shri)
Titre de respect. (sanskrit)

Vedas
Écritures sacrées anciennes connues par les sages de l'Inde et à la base de la tradition védique. Les vedas contiennent la sagesse de l'univers et de la nature de la conscience. (sanskrit)

Yoga

Pratique conduisant à l'état d'union avec Dieu, ou état d'Unité. (sanskrit)

Table des matières